地域批評シリーズ63

これでいいのか北海道

道民探究編

まえがき

地域批評シリーズは、明と暗、正と負、お気楽と苦難が入り混じった21世紀の日本各地の実態や本質を解き明かす「地域探究本」である。今回取り上げる地域は北海道。以前に当シリーズで「札幌市」を取り上げているが、それとは比べものにならないくらい扱うエリアは広大だ。そこで北海道探究に一冊では不十分というわけで、今回は二本立てでのぞみたい。まずは『道民探究編』と題し、北海道の成り立ちや地域性を踏まえ、道民の生態や特徴を探っていく。

さて、北海道は数ある日本の地域の中でも、極めつけの特別地域だ。気候、風土、成り立ちもそこに住む人も、他の地域とは、ある部分ではほんの少し、ある部分では大きく違っている。なぜ北海道は特別なのか？　理由はその歴史にある。江戸時代後期まで、北海道は「日本国」には組み込まれておらず、アイヌという縄文以来の古い日本人に近しい人々の住む土地だった。それが、西欧の世界進出という時代のうねりの中、江戸幕府と明治政府は北海道を「日本国」に組み込まざるを得ない状況におかれた。そして内地から多くの移民が流入し、現在の「北海道」が成立したのである。

明治以降、重要資源の石炭が豊富に採れた北海道は、どんな人も受け入れ、生活の糧を提供するフロンティアとなった。人は暮らす土地によって、その性格を変化させる。北海道の広さは人を開放的にし、豊かな山海の資源は心に余裕を持たせた。だが21世紀の今、豊かなフロンティアには様々な矛盾が渦巻いている。いや、それ以前から北海道には厳しい現実があった。内地とは比べものにならない寒さ、広すぎる土地は生活に必要な移動を困難にし、農業にしても漁業にしても、天候という抗うすべのない状況に左右されてきた。北海道に住む人々は、土地から様々な恩恵を受け、のんびりと自由に暮らしつつも、厳しい自然と歴史の流れに苦しんできたといってもいい。

北海道に暮らす人たちはどんな人たちなのだろう？　本書は北海道という地域の本質を探るべく、道民にスポットを当てた。といっても道民を一緒くたにすることはしない。北海道は広大だ。道民には共通気質（道民性）もあるが、それぞれの土地で気質、特性、生活様式に違いがある。そんな多彩な道民の謎を解き明かし、北海道という地域の本質に迫ってみたい。

道北

上川	99 中富良野町	110 中川町	**宗谷**
89 旭川市	100 富良野市	111 幌加内町	120 稚内市
90 鷹栖町	101 南富良野町	**留萌**	121 猿払村
91 東神楽町	102 占冠村	112 留萌市	122 浜頓別町
92 当麻町	103 和寒町	113 増毛町	123 中頓別町
93 比布町	104 剣淵町	114 小平町	124 枝幸町
94 愛別町	105 士別市	115 苫前町	125 豊富町
95 東川町	106 下川町	116 羽幌町	126 礼文町
96 上川町	107 名寄市	117 初山別村	127 利尻町
97 美瑛町	108 美深町	118 遠別町	128 利尻富士町
98 上富良野町	109 音威子府村	119 天塩町	129 幌延町

道東

オホーツク	143 湧別町	156 中札内村	169 厚岸町
130 北見市	144 滝上町	157 更別村	170 浜中町
131 網走市	145 興部町	158 大樹町	171 標茶町
132 紋別市	146 西興部村	159 広尾町	172 弟子屈町
133 大空町	147 雄武町	160 幕別町	173 鶴居村
134 美幌町	**十勝**	161 池田町	174 白糠町
135 津別町	148 帯広市	162 豊頃町	**根室**
136 斜里町	149 音更町	163 本別町	175 根室市
137 清里町	150 士幌町	164 足寄町	176 別海町
138 小清水町	151 上士幌町	165 陸別町	177 中標津町
139 訓子府町	152 鹿追町	166 浦幌町	178 標津町
140 置戸町	153 新得町	**釧路**	179 羅臼町
141 佐呂間町	154 清水町	167 釧路市	
142 遠軽町	155 芽室町	168 釧路町	

北海道地図

道央

石狩

1 札幌市
2 江別市
3 千歳市
4 恵庭市
5 北広島市
6 石狩市
7 当別町
8 新篠津村

後志

9 小樽市
10 島牧村
11 寿都町
12 黒松内町
13 蘭越町
14 ニセコ町
15 真狩村
16 留寿都村
17 喜茂別町
18 京極町
19 倶知安町
20 共和町
21 岩内町
22 泊村
23 神恵内村
24 積丹町
25 古平町
26 仁木町
27 余市町
28 赤井川村

空知

29 夕張市
30 岩見沢市
31 美唄市
32 芦別市
33 赤平市
34 三笠市
35 滝川市
36 砂川市
37 歌志内市
38 深川市
39 南幌町
40 奈井江町
41 上砂川町
42 由仁町
43 長沼町
44 栗山町
45 月形町
46 浦臼町
47 新十津川町
48 妹背牛町
49 秩父別町
50 雨竜町
51 北竜町
52 沼田町

胆振

71 室蘭市
72 苫小牧市
73 登別市
74 伊達市
75 豊浦町
76 壮瞥町
77 白老町
78 厚真町
79 洞爺湖町
80 安平町
81 むかわ町

日高

82 日高町
83 平取町
84 新冠町
85 浦河町
86 様似町
87 えりも町
88 新ひだか町

道南

渡島

53 函館市
54 北斗市
55 松前町
56 福島町
57 知内町
58 木古内町
59 七飯町
60 鹿部町
61 森町
62 八雲町
63 長万部町

檜山

64 江差町
65 上ノ国町
66 厚沢部町
67 乙部町
68 奥尻町
69 今金町
70 せたな町

北海道基礎データ

地方	北海道地方
総面積	83,424.44㎢
人口	5,207,185 人
人口密度	66.4 人 /㎢
隣接都道府県	青森県（津軽海峡を挟んで隣接）
道の木	エゾマツ
道の花	ハマナス
道の鳥	タンチョウ
道民のうた	行進曲「光あふれて」 ホームソング「むかしのむかし」 音頭「北海ばやし」
団体コード	01000-6
道庁所在地	〒 060-8588 北海道札幌市中央区北 3 条西 6 丁目
道庁舎電話番号	011-231-4111（代表）

※総面積は国土地理院「令和 3 年全国都道府県市区町村別面積調（1 月 1 日時点）」参照、総面積には北方地域を含む

※人口は住民基本台帳人口（2021 年 5 月 31 日現在）を参照

※人口密度は北方地域を除いた総面積で計算

●第2章●【内地とは空気の違う道民気質とはなんぞや】……65

第1章

知っておいてほしい北海道の歴史

「ニッポン」とは別の歴史を積み重ねてきた北海道

内地の常識では測れない独自の歴史

日本各地を放浪した漫画家・つげ義春は『ガロ』1993年8月号収録の『つげ義春旅を語る』でこう言っている。「北海道はやっぱり歴史が浅いっていうイメージがあってね。あと何となく遠いっていう感じがするんですよね」と。

実にそのとおりで、北海道を歩いてとうとうと積み重ねられた歴史を感じることは少ない。ちょうど海を埋め立てたり山を削ってできたニュータウンを歩くときの気分に近い。ニュータウンで出会う最新の技術を用いた建物や小洒落た店にワクワクするように、北海道の広い大地や自然はワクワク感を与えてくれる。だが、それも数日すると飽きる。食べ物はどうか。新鮮な自然の恵みは確かに心を惹かれるものがあるが、日本列島は広い。魚も野菜も美味い地域はいくらでもある。

だからといって、北海道は歴史のない大地ではない。日本列島のほかの地域がそうであるように、北海道もまた人類が誕生して以来連綿と、歴史を生み出してきた土地である。

数多の人類が交錯した先史時代

昨今、内地でも縄文時代は一種ブームだ。考古学者・佐原真が食料採取段階の縄文時代には戦争は存在していなかったのではないかと仮説を立てたせいか、あるいは、最近流行りの俗流な歴史観の中で、縄文は平和で人類が自然と調和した理想郷かのように語られがちである。伝統的な祭りや習俗にも「縄文時代以来の～」のような修正が加えられる。

北海道においても、アイヌ文化は縄文時代からの途切れない歴史としての面だけを過度に注目されがちだ。人類が世代を重ねている以上、文化にも連続性はある。アイヌが北海道の先住民であることにも異論はない。それにしても、現代人にとっての理想郷のような縄文時代の文化が継続しているとは、いいすぎだ。文化は様々な要素の交錯によって常に変わり続けてきたものであり、北海道を原日本の土地と考えるのはやりすぎである。

では、北海道の歴史のはじまりをいつに設定するのか。現在、北海道でもっとも古い遺跡は千歳市の祝梅三角山遺跡で約2万1000年前のものだ。約7万年前に始まった最終氷期の中で登場した新人は、大陸との間にできた陸橋を通り、マンモスやヘラジカ、ナウマンゾウなどを追い、日本列島へと生活圏を拡大させていった。このときに北海道へ到達した人類が最初の北海道人だ。

北海道と内地との差異は最終氷期末期に始まる。一転して始まった温暖化は約5000年前まで続き日本列島を形成し、さらに現代よりも内陸部へと海を拡げた。その過程で北海道は津軽海峡と分断されるが、水深の浅い宗谷海峡や間宮海峡は氷期の最末期まで陸橋として存続した。後期旧石器時代の遠軽町の白滝遺跡から出土した黒曜石の加工技術である湧別技法が中国やサハリン、東シベリア、沿海州、カムチャッカに分布していることが、その証左だ。

稲作に適さず独特の文化が生まれる

縄文時代の後（正確には縄文・弥生文化が平行して存在）、内地は大陸からの新たな集団の移住により、稲作を基礎とする弥生時代へと移行する。一方、北海道（と、東北地方北部）は気候的条件から稲作は行われず、独自の続縄文時代へと移行する。

農耕社会へ移行しなかったことを重視し、北海道の自然との共生の歴史は強調されがちだが、実際には環境的要因から稲作が選択されなかっただけである。「続縄文」とはいうものの、遅れた時代が続いたわけではなく、必要性がないために文化の変化が少なかったにすぎない。実際、紀元前1世紀ごろに始まる江別文化では農耕が行われていた痕跡が発見されている。

この時代も交易は日本列島の各地、あるいは大陸方面とも盛んに行われた。その結果として、7世紀後半には縄文に代わり、土師器の影響を受けた擦文式土器を特徴とする擦文時代となる。またこの時期、北海道のオホーツク海沿岸には擦文文化と異なる、海洋文化のオホーツク文化が併存していた。

この時代になると、大和でも北海道に関するものと思われる文献の記述もみられるようになる。『日本書紀』では斉明天皇の658年に阿倍比羅夫が蝦夷・粛慎征討を行ったことを記している。斉明天皇四年条には「獻生羆二・羆皮七十枚（ヒグマ2頭、ヒグマの毛皮70枚）」とあるので、比羅夫が北海道まで到達していた可能性は高い。

光仁天皇以降、北への領域拡大を進める大和朝廷と抗争を繰り広げることになる蝦夷だが、考古学の成果からは続縄文時代に東北地方へ南下した集団とみられている。東北地方の集団はやがて和人と文化的にも融合していくのだが、北海道では粛慎《みしはせ》と見なされるオホーツク文化人との融合が進んだ。

9世紀ごろには融合によって道東にトビタイニ文化が始まっている。元来、オホーツク文化は樺太を中心として道北・道東へと進出したものであったが、擦文文化が道北へと拡大したことで結果的に二つの文化は融合していくことになる。こうして融合したふたつの集団に、北上してきた人々などを加えて、内地の文化も摂取され、北海道先住民の文化はアイヌ文化へと発展していく。長らく京都を中心として歴史を描く和人とは、別個の歴史がそこにはあった。

3世紀から13世紀まで続いたオホーツク文化。網走市にあるモヨロ貝塚はその代表的な遺跡だ。モヨロは入り江の周辺という意味

石狩川流域には古くから先住民の生活拠点があった。流域の各地に遺跡が存在し、9世紀から12世紀ごろの神居古潭などが特に有名

8世紀からは内地との交流が活発に奥州藤原氏とも密接な関係が？

内地との交易による文化の変容

北海道の歴史が浅いと思われる原因は、専門家による一般に普及するような書籍が少ないことである。

中でも、中世における北海道の記述は極めて少ないと認めざるを得ない。知りたければ、各都道府県の歴史を知るために欠かせない山川書店の新版県史『北海道の歴史』を読めば事足りるだろうが、その間があまりに欠けている。三一新書で出ていた新谷行の『アイヌ民族抵抗史―アイヌ共和国への胎動』のように「民族の通史」を標榜する本もあるが、この名著も冷静に読んでみたら歴史書ではなくポエムかなにかの類といえる。

北海道が近代まで未開の文明化されていなかった土地であるかのような思考を打破するためにも、今後はより一般書が求められる時代に、ようやく到達してきたのかもしれない。

さて、擦文文化とオホーツク文化の融合は、アイヌ文化を生み出した。ただ、これは単純に文化の異なるふたつの集団が抗争の末に交易や通婚を重ねて生み出したものではない。ここに、さらに内地との交流という要素も存在している。主に遺伝学の研究成果によって日本列島にはアイヌ人・内地人・琉球人の３つの人類集団が分布していることがわかっている。

もっとも数の多い内地人は、縄文人と、新たに北東アジアから渡来してきた人々が交流して生まれたとされているが、この新たな人々との通婚が少なかったのが北はアイヌ人、南は琉球人である。とはいえ、縄文人イコールアイヌ人というわけではない。アイヌ民族は縄文人や和人にはないハプログループＹ遺伝子を20パーセントの比率で持っていることがわかっている。これはオホーツク文化の担い手たちによるものだとされている。オホーツク文化を営んだ人々の遺伝子は、樺太北部やシベリアのアムール川河口一帯に住むニブフと近く、カムチャッカ半島の民族とも祖先を共通することがわかっている。内地の視点では、対馬海峡や東シナ海を越えて新たな人々が日本列島にやってきたことばかりに目が向きがちだが、北からも海を越えて多数の人々が北海道へとやってきたのである。アイヌ人が先住民であることに議論の余地はないが、そこには様々な集団との融合も確かにあったのだ。その融合においてもっとも象徴的なのが熊の崇拝であろう。熊の崇拝はアイヌ文化の特徴としてもっとも知られるものだが、これは擦文文化には存在せずオホーツク文化にのみ存在していたものだった。このことは、複数の文化の異なる集団が出会ったことを示すものである。

アイヌが文字を持たなかったため、アイヌ文化の成立過程は考古学や和人側の文献に頼るしかなく、歴史を記述することは困難である。これまでの研究では9世紀には道北でオホーツク文化が消え、道東でトビタイニ文化が成立している。この後、13世紀頃にアイヌ文化が成立したとみられている。擦文文化とアイヌ文化の差異は、かまどを持つ竪穴式住居が囲炉裏のみのチセ（掘立柱建物）に移行したことや、土器の使用が廃れて内地で用いられる鉄器や漆器が定着したことが挙げられる。つまり、北方での文化交流と共に和人との活発な交流もあり、かつその交流は継続的なものであったと考えられる。擦文文化は7世紀に始まるとされるが、大きく文化が変化したのは8世紀である。この時代に、北海道では墓制や土器など生活様式に変化が起こっている。これは、土師器を用いる東北の集団が往来し移住する中で、伝わったものと考えられる。

8世紀以降に交易や移住が活発になったことを示すのは、各所から発掘される須恵器である。須恵器は登り窯などの大規模な設備を構築する高度な技術と生産体制を必須とするもので、窯の分布の広がりは朝廷の支配領域の広がりといえるものである。北海道で用いられた須恵器は、8世紀の秋田県秋田市新城窯跡群・古城廻窯跡群で生産されたもの。次いで10世紀の青森県五所川原市の五所川原窯跡群のものである。8～9世紀における北海道の須恵器は石狩低地の遺跡に特に多く、日本海沿岸部に散見される。また、千歳市の末広遺跡からは新城窯跡群産の須恵器がまとまって出土していることから、その当時は、秋田（出羽国）と日本海沿岸を経由して石狩低地へと至る交易ルートが営まれていたことがわかる。また、この日本海ルートの交易は擦文文化の人々のみならずオホーツク文化とも行われていた可能性もある。五所川原窯跡群産の須恵器はさらに北海道の広い地域で分布していることから、交易は時代とともに活発になったといえるだろう。ただ、この担い手が北上した和人なのか、南下した蝦夷なのかは判然としない。

平安時代末期に、前九年の役、後三年の役を経て東北地方には奥州藤原氏による政権が確立される。奥州藤原氏は三代のミイラの調査で和人であったことがわかっているが、それに先立ち権勢を振るい前九年の役で滅びた安倍氏のルーツは判然とせず、北海道から南下してきた土着の先住民という説もある。安倍晋三は、この安倍氏の末裔にあたるというが、先住民説が正しいとすれば「日本を、取り戻す。」のキャッチコピーもいろいろ感慨深い。

奥州藤原氏が滅亡する際、逃亡する藤原泰衡は北海道を目指す途中の比内郡贄柵（秋田県大館市）で郎従の河田次郎に裏切られて殺されている。このことからも、北海道はすでに往来のある土地として認識されていたことがわかるだろう。

道南十二館

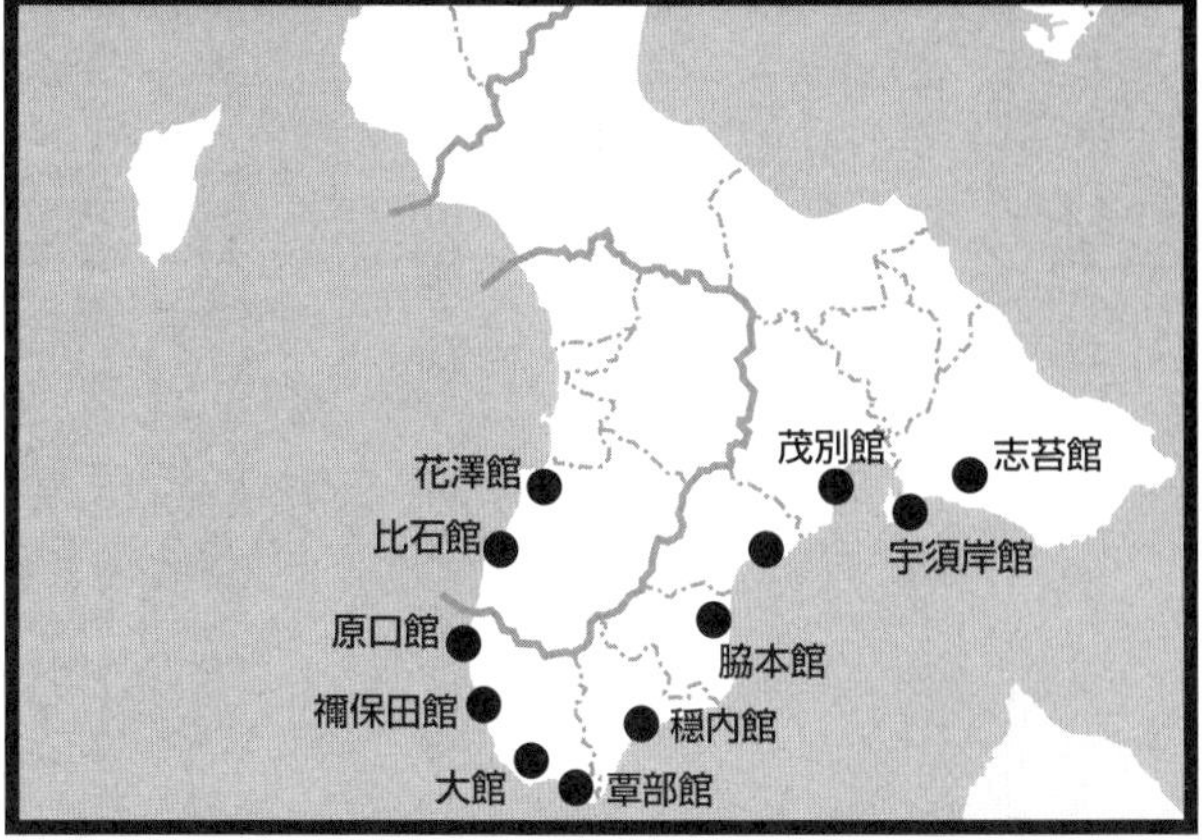

南部氏との戦に破れた安東氏を中心に築かれた道南十二館。安東氏は交易を主な収入源としたため、全てが海沿いにつくられている

津軽安東氏の活躍で徐々に関係が深くなる「夷島」

辺境の流刑地かフロンティアか

鎌倉幕府の誕生は、支配領域の外と考えられていた北海道の地位を変えた。奥州藤原氏の滅亡と共に、東北地方の根強い自立意識は中央志向へと転換していく。この中で歴史に登場するのが蝦夷管領となった安東氏（室町時代中期までは「安藤」と表記されるがここでは「安東」に統一。後の秋田氏）である。

安東氏の系譜は多くの文献に異同があり、判然としない。『保暦間記』によると北条義時のころに安藤五郎が東夷地の支配に置かれたとし、『諏方大明神画詞』では蝦夷の安倍氏の後裔である安東太（安東政季）が蝦夷管領となったとされている。

このようにはじまりは判然としないが、安東氏は北条氏の御内人（得宗家の家臣）として津軽十三湊を本拠地とし、軍事と警察権を掌握して交易を管理しつつ、夷島などと呼ばれた北海道に罪人を送る職務にあたった。当時の認識では、境界は津軽・外浜から夷島あたりと考えられていた。都人にしてみれば夷島、千島は境界の向こうにある土地。当時の流刑とは罪人を二度と帰ってこられない土地に捨て殺しにすることなので、遠く離れた土地が求められた。古代には土佐や佐渡だった流刑地がさらに遠くなったのは支配領域の拡大を意味する。

ただ、境界の島は流刑地であるとともに富をもたらす土地でもあった。北方の交易ルートは十三湊を経由してオホーツク沿岸や北宋とも繋がっていたのである。鎌倉幕府は御恩と奉公の言葉に象徴されるように、御家人が幕府から土地の支配を認められることを基本としたシステムである。だが、北条氏はそれとは別に貿易や金銭の貸し付けなどの経済活動で利益を得ていた。西国では長門国の赤間関や和泉国の堺津など博多と鎌倉を結ぶ要所は、ほぼ北条氏一門の所領。北方においても北条氏の活動は活発で、境界の向こうにある島は、化外の地ではなく利益をもたらす宝島だったのである。

その代官である安東氏は海の民・山の民といわれる非農業民の氏族だったとされる。津軽を拠点にしながら、陸奥国一宮の塩竈神社の社人であったとも伝わっているので、極めて広い領域にネットワークを持つ一族であった。こうした背景が交易ルートの支配を北条氏から任じられた理由であろう。

その夷島で1264年から断続的に行われたのが、元のアイヌ攻撃と樺太侵攻である。この侵攻は元に服属していた吉里迷（ギリヤークとされる）が、毎年骨嵬（くがい）に攻撃されているという訴えを受けて行われたものだった。骨嵬は樺太のアイヌ、あるいは北海道のアイヌというふたつの説がある。戦役は文永弘安の役の最中は中断するが、のちに元は樺太に拠点を築き、アイヌを牽制したと考えられている。

カオスと化した北方の戦乱

この時代の北海道の様子を記すのが、1356年に諏訪円忠の記した『諏方大明神画詞』である。これによれば、「蝦夷ヶ千島」には日ノ本、唐子、渡党の3つの集団が居住していたとされる。日ノ本は北海道太平洋側のアイヌ、唐子は日本海側のアイヌとされる。渡党は髭が濃く多毛であるが、和人に似て言葉が通じ、交易に従事していたとされており、文化接触の中で和人化したアイヌと考えられている。アイヌ文化は山間部でひっそりと営まれるものではなく、鉄製品や漆器などを得るために交易を行うことによって発展した文化だ。交易は時として争いを伴う。その結果が沿海州の諸民族や元との争いであった。

この争いが日本列島に及んだのが「安藤氏の乱」である。これは、1268年の津軽、1320年の出羽と2度の蝦夷の放棄に安東氏の家督争いが加わって起きた戦乱だ。通史では重視されないが、御内人の争いを治めることのできなかった北条氏は動揺し、1333年の幕府滅亡の一因となったとされている。蝦夷が蜂起した背景には仏教の布教と固有信仰の対立などがあげられるが、より根源的な理由は各地で起こっていた悪党の蜂起と同様であった。動揺する得宗専制体制への反発による蝦夷の蜂起に安東氏の家督争いの内紛が加わり、大争乱となったのである。史書では蜂起は東北地方で起きているので北海道の状況は知ることはできないが、戦乱はあちこちに広まったと思われる。

交易が衰退して奴隷化したアイヌ

戦乱の後、安東氏は十三湊を拠点に独立した大名として勢力を拡げ、１４３６年には安藤康季が後花園天皇から奥州十三湊日之本将軍に任じられている。その子・義季は八戸から勢力を拡大した南部氏に敗れ、安東氏は一時滅亡するが、一族の安東政季が南部氏の傀儡として立てられる。

安東氏は海上交易を掌握する一族であったので、南部氏も、さらに室町幕府もこれを容易に滅ぼせなかった。この政季も後に南部氏と対立して夷島へ逃れ、渡島半島に配下の武将を配置した「道南十二館」を設けている。

このころになると、和人の津軽海峡を越えた進出はさらに進んでいたと思われる。和人の目的はアイヌの仲介による明との交易であった。ところが、１４４９年に明の正統帝がモンゴル系のオイラトの捕虜になる事件（土木の変）を機に、明の北方支配が弱体化すると交易は衰え、和人との力関係は大きく変化する。この結果として、１４５７年にアイヌの蜂起であるコシャマインの戦いが起きている。この戦いは、かろうじて和人の勝利に終わった。このときに活

和人・アイヌ交易の主な品目

品目	利用法
ワシ・タカの羽	矢羽や装飾品
アザラシの革	革製品の原料
熊の革	革製品の原料
鹿の革	革製品の原料
サケ	中世までは干したものが主流
コンブ	出汁用
アットゥシ（木の繊維の布材）	奢侈品
蝦夷錦	奢侈品

※各種資料により作成

躍した安東氏配下の武田信広は蠣崎氏の家督を継ぎ、秋田を拠点とした安東氏に代わる北海道の支配者として成長していく。

こうしてアイヌは和人の支配体制に置かれることとなり、渡党のような存在は姿を消していくことになる。幾度かのアイヌの蜂起を鎮圧し、支配体制を確立した蠣崎氏は、1591年に蠣崎慶広が豊臣秀吉から所領を安堵され、後に全蝦夷地の支配権を与えられた。

さらに名字を松前に改めた慶広は、1604年に江戸幕府からアイヌとの交易独占を認められた。これによって、交易によって維持されてきたアイヌは松前氏に完全に従属せざるを得ない状況へと追い込まれた。江戸幕府の始まりは、アイヌの悲惨な歴史の始まりであった。

ヤバすぎる松前藩の所業

地獄の始まりは上ノ国町

渡島半島の上ノ国町と江差町の境目あたりの海岸に「北海道発祥の地　上ノ国」という看板が立っている。北海道に和人が増えた15世紀ごろから渡島半島は日本海側が上ノ国、太平洋側が下ノ国と呼ばれるようになっていた。上ノ国町では町民憲章で自らを「北海道の夜明けの地」と呼んでいる。2016年7月の町の広報紙では、蠣崎信廣がコシャマインの乱を経て洲崎館や勝山館を建てたこと、いわば和人中心史観に終始している。「この時にもたらされた平和と安定が、蝦夷地に和人文化を定着させ、様々な地域が発展していくきっかけになりました」とひときわ大きなフォントで記している。「コロンブスがアメリカを発見した」とは誰も言わなくなった21世紀に、ここまで侵略を正当化し、賛美する歴史を紹介できることには唖然とするしかない。

蠣崎氏、江戸時代の松前氏によるアイヌへの苛烈な支配に、少しだけ言い分があるとすれば、それは江戸幕府の意向であったということだ。ジロラモ・デ・アンジェリスは初めて北海道の地図を製作し、アイヌ語の文字記録を残したイエズス会の宣教師である。彼は禁教令を逃れて1618年に松前を訪れている。この時、松前藩の重臣は「パードレ（神父）の松前へ見えることはダイジモナイ（大事もない）、何故なら天下（幕府）がパードレを日本から追放したけれども、松前は日本ではない」と告げたと記録されている。アンジェリスの記録では、松前には毎年アイヌが酒や鰊、千島列島とおぼしき島で買い付けたラッコの革を100艘あまりの船で運んでくることや、さらには、中国の品々を運んで来る者もいて、日本から来る船と交易をして賑わっていると記されている。

松前藩は秀吉の朱印状、家康の黒印状を得て蝦夷地の支配を認められたとされているが、これは正確ではない。というのも朱印状では船役の徴収権、黒印状では交易権を認めているに過ぎないからだ。そして、松前（蠣崎）氏自身も中央権力に服属しているという意識は弱かった。江戸時代中期の地誌『北海随筆』でも「國初の頃松前家の位席は、賓客の御あしらい」とある。秀吉、家康の時代の松前藩は服属の意志は示していたものの、日本の外の土地を治めていて、本来は支配の埒外にある者として認識され、松前藩もそう振る舞っていたのだ。

幕藩体制の中で異質の存在だった松前藩が激変したのは、三代将軍家光以降の貿易制限（いわゆる鎖国）によるものだった。この間の詳細な動向は不明だが、鎖国体制の強化によって蝦夷地と和人地が明確に分離され、城下交易も廃された。いわば松前は日本の内として幕府の支配下に置き、その向こうにある蝦夷地は外国だから往来を制限したわけである。稲作のできない松前藩では、家臣に商場を割り当ててアイヌと交易をする形で禄を与えていた。武士というよりは半ば商人のような松前藩の人々とアイヌが双方に往来することで、経済が回ってたわけだが、鎖国体制はこのシステムを崩壊させた。

アイヌの経済は、交易を抜きには成立しないほど高度に発展し依存していた。地域によっては食糧は交易で得る米というアイヌもいた。ところが、アイヌが松前に渡航して交易を行うことができなくなり、取引は和人が一方的に有利になってしまった。シャクシャインの乱後に津軽藩の隠密がアイヌから得た記録が『津軽一統史』に残されているが、以前は米2斗（約30キロ）だった品物を7、8升（約5キロ）で交換することを強制される不当な交易が行われていたと記されている。さらに、アイヌは松前にいくことも制限されているのに、松前藩の商船は、鮭や鰊を乱獲し砂金掘りも行っていた。こうしたアイヌに対する不当な支配への反抗がシャクシャインの乱であった。乱が鎮圧された後、松前藩は商船の渡航を制限する鎮撫策を行ったが、アイヌに不利な交換レートは継続され、商場の違うアイヌとの交易も制限されることになった。

市場経済の発展によって本当の地獄島に

それでも、江戸時代前期の状況はまだマシだった。アイヌへの収奪が本格化するのは18世紀以降である。市場経済の発展によって蝦夷地は豊富な資源を持つ植民地となっていったのだ。

江戸後期には全国的な食材となった身欠き鰊をはじめ、鮭、昆布などは国内消費に、なまこやアワビは長崎から海外への輸出品として用いられるようになった。中でも肥料に用いられる鰊〆粕は蝦夷地で得られる代表的な産物だった。鰊〆粕が広く普及したことで日本各地で蜜柑や綿花などの商品作物の生産が発展した。これを司る松前藩による支配は、18世紀には、松前に進出してきた商人に商場での交易を代行させて運上金を得る場所請負制に移行していた。

商人による直接支配によって鰊〆粕などの生産が加速すると、多くの和人が「松前稼ぎ」と呼ばれた高賃金の出稼ぎのために蝦夷地へと流入してきた。数でも力でも劣勢になったアイヌは、商人の支配によって低賃金の過酷な労働を強いられ、集落は荒廃した。さらに和人の持ち込んだ天然痘などの疫病で、人口はどんどん減っていった。

松前藩に多額の金を貸し付けたことで場所を得た材木商・飛驒屋はこの時代の代表的な収奪者だった。1789年、アイヌの人々は飛驒屋の収奪に対し蜂起。松前藩は飛驒屋に責任を負わせ場所を没収したが、収奪の構造は変わらなかった。

松前氏の居城は福山館という正式には城と呼ばれなかった建物だったが、幕末に海防強化のため強固な松前城に生まれ変わった

これ以降、場所請負制は幕府直轄とされ、アイヌの社会は完全に和人社会の資源供給のための存在となったのである。一方、宗谷海峡の北ではロシアによる支配が本格化していたが、こちらも先住に対する収奪はさらに激しくなり悲惨な時代を迎えていた。

江戸後期、和人による探検や開発企図などもあったが、すべては明治維新に先立つ資源収奪先として北海道の植民地化がさらに進むための準備期間だったといえる。近年、日本史において、江戸時代を平和で豊かな時代として理想化する風潮が盛んだが、北海道にはそんなものはなかった。

松前藩とロシアに幕末無法の大地となった北海道

北方のフロンティアという不幸

最前線から転じて、新天地という意味で使われるフロンティアという言葉。現代では様々な用法があるが、もとはアメリカの西部開拓時代の開拓最前線を意味している。その明るく未来を感じる言葉のイメージとは裏腹に血塗られた言葉であることはいうまでもない。かつて北海道から樺太、オホーツク海沿岸は日本にとっては北方の、ロシアからは東方のフロンティアであった。

和人が蝦夷地に拠点を確立しているころ、毛皮を求めるロシア人たちは豊富な毛皮資源を求めてウラル山脈を越えてシベリアへと侵入した。1568年にシビル・ハン国を滅ぼしたロシア人の東進は止まらず、1636年にコサックのイヴァン・モスクヴィチンは毛皮と銀を求めてオホーツク海へ到達した。シベリアから南下するロシアは清との衝突を繰り返し、1689年のネルチンスク条約で外興安嶺（スタノヴォイ山脈）を国境とした。

17世紀末まで日本側では、樺太とカムチャッカ半島までが松前藩の支配地として認識されていた。松前藩では1679年に久春古丹（のちの大泊）に陣屋を設けて漁場を開拓し、樺太アイヌを支配していた。1700年、松前藩は蝦夷地の地名を記した『松前島郷帳』と『蝦夷全図』を作成し、「十州島（北海道）、唐太、千島列島、勘察加（カムチャッカ半島）」を松前藩領として報告している。しかし、実際に支配が及んでいたとは言い難い。1697年、ウラジーミル・アトラソフは現地の先住民と戦いながらカムチャッカ半島に進出する。この際、アトラソフは先住民の集落で漂着した大坂の商人・伝兵衛と出会った。彼はペテルブルクに連れて行かれ、日本語教師として一生を終えた。これ以降、ロシアは占守島から千島への南下を始めた。まだ沿海州を領有していなかったロシアの南下ルートは千島に限られていた。1754年になると松前藩は、国後・択捉・得撫に国後場所を開いている。一方、ロシア人は南下を止めず、177

8年には霧多布まで到達している。日本では1799年に高田屋嘉兵衛によって択捉航路が整備された。1800年に新たに択捉場所が開かれ、漁場も開発され北前船が寄港するようになる。こうして、国境を接することになった日露間で緊張が高まり、時には衝突も起こるようになった。

緊張関係の中でロシアは、江戸幕府に通商を求め、1792年にアダム・ラクスマンを根室に派遣。1804年にはニコライ・レザノフが長崎に来航したが幕府は通商を拒否した。これに対してレザノフは独断で樺太の松前藩の番所や択捉島の幕府会所を襲撃する文化露寇（フヴォストフ事件）が起こっている。

さようなら松前藩

ロシアの南下に対して、日本の外交は後手に回っていた。ロシアの最初の交易要求は、1778年にノマカップに到来したロシア人一行によるもので、松前藩は国法によって禁じられていると拒否している。これ以前に松前藩では、アイヌからロシア人が南下している情報を得ていたのだが、松前藩は幕府には報告しなかった。松前藩は商人に商場を任せている一方で既得権益確保のため、ロシア人の情報を得て蝦夷地に入る和人が増えることを恐れていたのだ。それでも、北からの脅威は早い段階で気づいていて、１７８１年に仙台藩の医師であった工藤平助によって『赤蝦夷風説考』が書かれている。これは蝦夷地の幕府主導による防備と開発を進言するもので、時の老中・田沼意次にも届き、幕府主導による探検がなされている。この時の探検は田沼の失脚で中断したものの、これ以降幕府による北方の調査と防備の強化がある程度図られるようになった。

１７９９年、幕府は東蝦夷地を7年間上知（幕府が大名・旗本から政策上必要な領地を取り上げること）することを決めた。これが期限を迎えた後も返還はされず、１８０７年には西蝦夷も上知され松前藩は、陸奥国伊達郡梁川９千石に転封を命じられた。松前藩は米が収穫できないかわりに、商人を通じた収奪により巨額な利益を得ていたが、その権益はすべて失われた。ほぼ改易とイコールである。松前藩が転封された背景には、密貿易や幕府の再三の命令にも拘わらず北方警備をおざなりにしていたことがある。

幕末は植民地化の新展開へ

松前藩は必死の働きかけで1821年に松前に復帰を果たした。しかし、1854年、開国により箱館が開港すると、再び領地は渡島半島の一部のみとなった。箱館が貿易港となり、幕府が箱館奉行所をおいたことで、松前の繁栄はここに終焉を見た。箱館開港にあたって、新たに奉行所をおくために建設されたのが五稜郭であった。

幕末の北海道の、もっとも有名な出来事といえば箱館戦争だろう。幕末という時代の大きな変わり目において、その最後を飾る戦いの舞台に北海道はなったのだ。

江戸幕府が終焉し、路頭に迷う幕臣を蝦夷地に移住させ開拓と防備に用いようと、榎本武揚は考え軍艦をひきつれてやってきた。箱館は官軍が掌握し、松前藩は日和見の末に官軍についているわけで、平和に上陸できるはずもないから、地元民にしてみれば迷惑この上ない。なにせ、実態は行き場のない敗残兵の集団である。金庫は最初からほぼカラで給料も払えない。ならばと縁日、博

幕末最後の戦いの舞台となった五稜郭。現在は五稜郭タワーの存在で、その芸術的な外郭の姿をばっちり見られるのはありがたい

打場、売春などから「税金」をとり、市中には関所を設けて通行税もとった。敗残兵たちは、商家や酒屋で代金を踏み倒し、ゆすりたかりまで始める。旧幕府軍とは名ばかりでやくざ者よりもタチが悪かった。

挙げ句の果ては、貨幣の鋳造を始めたが、要は贋金なので経済は大混乱に陥った。新撰組の土方歳三が美しく散ったとかやたらと美化されているが、実態は民心を掴むことのできない敗残兵集団であり、敗北は当然であったといえる。ろくでもない幕末の混乱を経て、北海道は続く開拓の時代を迎えることになる。

一気にドル箱と化した戦前までの北海道

内国植民地としての北海道の開発

明治政府は1869年8月の太政官布告で「蝦夷地自今北海道ト被称十一ヶ国ニ分割國名郡名等別紙之通被　仰出候事」とした。これは蝦夷地を北海道として、11国86郡に分割し、日本の版図であることを宣言するものだ。新政府はまだ戊辰戦争の続いていた1868年には蝦夷地の鎮撫を検討し、開拓の方針を決めている。

1869年に政府が諸藩・士族・庶民の志願者へ、相応の地所割渡しの布告を出したことに始まり、移民は本格化していった。ただ、この開拓は最初から夢や希望に満ちたものとは言い難い側面があった。この年に開拓使の募集で、東京府下の約５００人が根室、宗谷、樺太に移住したが、この移民の実態は府下の浮浪民対策の性格が強かったのである。そして、このときは入植地の条件も悪かったことから、そのほとんどが失敗し、道内で再移住するか東京に戻ってしまったのだ。

内地から見れば「未開」の土地である北海道への移住であるため、当初は支援も手厚かった。開拓使では最初は募集・自発にかかわらず移民には3年間の食料扶助、家屋や家具、農機なども支給。開墾した土地1反歩あたり募集の場合は2両、自発の場合は10両と定めた。しかし、政府の財政難から、この大盤振る舞いはすぐに終わった。１８７４年には家作料10円、農具7種、種物料１円50銭と、条件はかなり下げられている。

政府は先住民の存在を無視して、北海道を未開の処女地で将来は有望だとして移民を奨励したが、事情もわからぬ土地への移住は躊躇されたのだろう。たとえば、新潟県では戊辰戦争の兵乱に加えて凶作が続き混乱を極めていたが、最初に北海道へ移民したのは刈羽郡出身の22戸96人のみであったなど、全体的に低調な時期が続いた。

食い詰めた者たちの最後の希望

インフラ整備とともに有望とみられた天然資源の開発も本格化した。すでに江戸時代に炭鉱は発見されていたが、1879年に官営幌内炭鉱が整備され、運搬ために全国3番目となる鉄道が建設された。これを受け継いだ北海道炭礦鉄道の開業によって、空知・夕張の炭鉱を開発、さらに財閥企業による新興開発も相次いだ。こうして江戸時代よりもさらに高度に収奪した産物により、内地の経済を支える土地となった北海道への移民数も増大した。歴史学者の今西一の調査では北海道の流入人口は1869年に1972人だったのが、1908年には8万578人に達し、大正時代~昭和戦前期を通じて少ない年でも4万人以上となっている。とりわけ1886年から89年までの人口増加率は全国平均の5倍となっており、北海道は移住者で溢れた。

だが、こうした移民の多くは、行き場を失った者たちであった。明治以降、産業構造が変化したことで農村の生業であった小規模な商品作物は打撃を受けていた。また、人口は常に過剰であった。ゆえに多くの人々に未来の見えない内地に比べて北海道は魅力的に映った。石炭のみならず、農業も漁業もあらゆる産業が大資本と結びついており北海道の経済は好調だった。農村の窮乏を招き自作農を小作農へと転落させ、資本主義経済を生み出すきっかけとなった松方デフレも移民の原動力となった。

移住の実態は、先に移住した者から勧誘を受けるような地縁・血縁によるものが多かった。実際、内地よりもよりましな生活が営める希望が北海道には存在しており、行けばなんとかなるのではないかという僅かな希望をみることもできた。手厚いとは言い難いが行政による移住者支援もあった。1916年の『北海道移住手引草』によれば移住の際に汽車汽船は5割引き、小樽または室蘭より先は無賃（タダ）と記されている。

戦争のたびに栄える北海道

仁木町は、もとは徳島県出身者が開拓し、後に縁者を呼び寄せて発展した地域である。明治期には三井物産と農作物販売の委託契約を結ぶことで安定的な収入を確保していた。このような成功例もありつつ、大抵の移民は大資本の開いた農場の募集小作人となったり、また、工場や漁場、炭鉱労働者として、よりよい土地を求めて北海道や千島、樺太に再移住を繰り返す者も多かった。そこには内地よりも明確に資本家とプロレタリアが分化したわかりやすい資本主義経済が成立していた。

ゆえに、第一次世界大戦の好景気で栄えた北海道は、その反動の不況、続く昭和恐慌で行き場を失った人々を吸収し、1931年の満州事変以降、さらなる発展を遂げた。満州事変後、戦争で北海道がいかに栄えたかを示すのが炭鉱である。1936年に北炭天塩鉱・北炭赤間鉱、1938年に住友赤平鉱、1939年に三井鉱山芦別鉱と新鉱の開発と生産増強は活発化していく。もっとも生産の増強による疲弊も早かった。朝鮮・中国人やウィルタなどの少数民族も用いた強制労働も行われ、産業は発展しつつも人心も設備も荒廃していった。資本家にとっては都合のよいドル箱であり、理想的な植民地。それが戦前の北海道の実態であった。いかに美辞麗句を並べても『蟹工船』に見られるような搾取によって成立してたのが、北海道経済であった。

北海道の最重要資源は長きに渡って石炭だった。写真の釧路コールマインのように、現役で営業を続けている会社もまだまだある

旅客船が入るわけでもなく穏やかな雰囲気の留萌港。1910年に着工し、1933年に完成。石炭積出港として活躍した

戦後も発展を続ける北海道だが致命的な弱点も内包していた

新たな植民地構造が作り上げられた

北海道の更なる開発は国策であり、急務だった。太平洋戦争に敗れた日本は樺太・千島・朝鮮・台湾・満州といった海外領土をすべて失い、外地からの引き揚げ者で人口は急増していた。戦時下で農村は荒廃し、食糧自給もできず1000万人は餓死するのではないかという危機的な予想すらあった。これに対して敗戦間もない1945年11月に政府は「緊急開拓事業実施要領」を定め5年計画で全国155万町歩、うち北海道70万町歩の開墾を行い、全国で100万戸、北海道で20万戸の入殖を計画した。米に換算して1600万石の増産を目論んだ計画は、開墾に適した土地かを見極めることもなく行われ、入植者の半数以上は離農する失敗に終わった。それでも北海道は急増する人口を送り込むことができる適地であったし、故郷に戻ることもできない引き揚げ者の流れ着く果てだった。引き揚げ船がたまたま到着したのが北海道の港だったので、そのまま北海道に暮らすことになったというルーツの道民も多い。

戦後水準を回復させる希望は北海道に！

1950年、北海道開発法と特定地域開発法が制定され、北海道開発庁が設置された。1951年の第1期北海道総合開発計画では1961年までに人口1000万人を掲げ、その人口を許容できる経済力を目指すことになった。焼け跡から復興する国内において北海道は、残された唯一の未開発地域であり資源の宝庫であった。国策による膨大な投資によって北海道全土にダムや道路、港湾や河川の整備が行われていく。

昭和の北海道の住宅の象徴ともいえる三角屋根住宅が建設されるようになったのは、1960年代からである。これは北海道住宅供給公社を中心に建設が行われたもので高度成長期の北海道の典型的な景観となった。この北海道の気候に適した住宅もそうだが、人々が自分たちを北海道民として意識するのは戦後になってからであった。

北海道に暮らす移住者やその子孫は、かつて暮らしていた土地の生活様式を維持したいという伝統に強く縛られていた。住宅も、北海道の気候に適なさい縁側のある夏場の風通しのよさを重視する家が好まれていた。そうした「自分たちは内地の者だが、今はたまたま外地で暮らしているだけ」という意識が長らく北海道には根付いていたのだが、戦後になって、ようやく薄れ始めた。生活インフラの整備が進み、苫小牧の築港など、産業拠点の整備も進んだためであった。逆に、雪印乳業やサッポロビールなど、北海道発祥で全国区となる企業も生まれ、新たな北海道民のアイデンティティが構築されていくようになった。

あらゆる産業で開発の余地が多い北海道は、内地の経済発展に刺激を受けて成長を続けた。1972年には札幌でアジアで初めての冬季オリンピックを開催するに至る。これにより地下鉄など、一気に開発が進んだのである。

経済成長を支えるのは国の投資

今となっては北海道の経済成長は、実際の力量を超えて成長していたといってよい。全国的に公共工事への依存度が高い産業とされる建設業は、北海道ではより依存度が高く、国や道による手厚い支援も度を超えていた。

代表例は石炭である。石炭から石油へのエネルギー転換が進む中、全国では炭鉱は縮小、閉山が相次いだ。戦後、北海道では機械採炭が本格化して生産量も増大したことで、石炭業は史上最大の繁栄を遂げていた。労働運動により労働者の環境は整備され、映画は札幌よりも炭鉱町の映画館のほうが先に封切られ、テレビ、冷蔵庫、洗濯機は早い時期から普及していた。この繁栄もあってか北海道の炭鉱では石油への転換の流れに逆らうかのようにスクラップ・アンド・ビルドによる生産性の高い炭鉱への積極的な投資が進められ、国も国内炭を後押しする政策が続いた。

これによって石狩炭田が筑豊炭田を超える国内最大の産炭地にまで成長した。この保護政策は炭鉱に巨額の融資をする一方で、合理化で生産性を高めることを要求するものだった。しかし、この保護政策は１９８１年の北炭夕張新炭鉱ガス突出事故によって終止符を打たれる。こうした過剰な保護政策は地域が産業を転換する時期を遅らせることとなった。

炭鉱を失った地域では、夕張や空知に代表されるように、観光産業の開発や企業誘致による地域経済の再生が目論まれた。折しも１９８８年に青函トンネルが開通し、内地と一体化した北海道は観光地としてもブームとなっていた。加えて日本全土がバブル景気に包まれる中で、旧産炭地向けの振興にかかわる公的資金や金融機関の融資には事欠かなかった。あたかも、金が無限に湧いてくるような状況の中で無計画な投資は進んだ。たとえば芦別市では五重塔を模したホテルや観音像を建設したレジャーランドを建設。さらには『赤毛のアン』のテーマパーク「カナディアンワールド」を開業した。まるで思いつきで始めたかのような観光開発で、ひとつも成功する地域はなかった。こうして１９９０年代に入り、北海道は幾度も危機を抱きながらも改善できなかった中央・公共依存の問題を思い知らされることとなった。

1972年に開催された札幌オリンピックは日の丸飛行隊（ジャンプ）の活躍もさることながら、札幌のインフラ整備を一気に推し進めた

地下街や地下鉄もオリンピックに合わせて整備されたもの。オリンピック以前と以後では、札幌はまったく別の街であったのだ

繁栄か停滞か振り回される北海道

食の祭典は転落の始まりなのか？

中央と公共事業に依存し、その経済成長の恩恵でかりそめの繁栄をみた北海道。その転落の始まりとなる出来事が１９８８年に起こっていた。

この年、３月に青函トンネルが開通、７月に新千歳空港の開港によって北海道は注目を集めていた。しかし、北海道経済は鉄鋼・造船の不況と農・水産業の国際化などの問題を抱えていた。ここに、東京のある広告代理店が持ち込んだ企画が「世界・食の祭典88」であった。

企画が持ち込まれたのは１９８６年９月。当時の横路孝弘知事の肝いりで道と札幌市が出資して「財団法人食の祭典委員会」が設立されたのは１９８７年

９月のことだった。当時、地方博はブームだったが、ここまで準備期間が短い催しは、ほかになかった。そして、実施計画が決まったのは開幕３カ月前の１９８８年３月。それまでの計画では入場料は無料、会場は北海道全土に分散して地域振興の催しとしていたのを覆し、札幌市内の２カ所に変更になった。

開会早々から会場は悲惨の一言だった。当たり前である。入場料を１５００円払った上に食事もパビリオンも有料なのである。あまりのヤバさに出店企業は独自に値下げに踏み切ったが、それでも客は伸びず一部は無料に。さらに料理も値下げしたが効果はなく、最終赤字額は約90億円にのぼった。

計画の無謀さだけではなく、汚職も深刻だった。財団の幹部は東京の高級ホテルや料亭を使った大名出張。業者から高級乗用車などの「寄付」を受けたりもしていた。一般職員も出張費の水増し請求をおこなっていた事実が開催中に次々と発覚。閉幕近くの財団には39億円分の請求書が未払いのまま山積みに。その中には「いつ、だれがどんな内容で注文したのかわからない請求書」も多かった。普及し始めたばかりの磁気式プリペイドカードの入場券は話題になったが、閉幕後も８万枚分の代金は未収で、その半分が道庁扱いのものだった。

破滅を決定づけた拓銀の破綻

国や道庁から降ってくる金が経済を回していた北海道。食の祭典は「またとないボーナス」とばかりに無数の魑魅魍魎に食い尽くされた催しであった。こうしてバブル景気の最中に暗雲が立ちこめた北海道経済は、1997年11月に道内経済を支えてきた北海道拓殖銀行の破綻によって破滅を決定づけられた。

1980年に拓銀調査部が編集した『北海道80年代の可能性』という書籍がある。北海道は、1980年の自治省の国民一人当たりの行政投資額は全国2位。第3次産業の就業構造は公務員の比率が全国で2番目に多く、サービス業では公共投資関連の企業がやたらと多いと記されている。対して製造業の比率は全国45位と最下位クラスであること。農業は当時の政府の価格維持制度の保護に支えられている完全な官依存体質であることを指摘し、他人の財布に頼らない地域経済の自立を訴えている。そんな道内における拓銀の破綻のひとつの原因はバブル期の不動産への過剰な融資であった。これも、北海道では最大手ながら都市銀行では全国最小という焦りから来たものだったのか。拓銀破綻のショックは道内企業に影響を及ぼし、そうご電器やナシオ、ゲームメーカーとして知られたハドソンなどが経営方針の転換や身売りを余儀なくされ、信用組合もいくつか破綻した。ニトリは拓銀がメインバンクな上に保証人が山一證券という最悪なカードしかなかったが、これを乗り切り現在の繁栄を築いた希有な企業である。

民営化で崩壊した鉄道網

今も路線の廃止が続くJR北海道のことも触れておかなくてはならない。1987年の国鉄分割民営化によって誕生したJR北海道は発足時からもっとも不安定と指摘される企業であった。広大な路線が存在する一方で、人口は札幌市など大都市に集中しており、走らせているだけで赤字の路線ばかりである。除雪や光熱費などにも膨大な金額を費やさなくてはならない。それでも路線が維持されてきたのは、仮にも国鉄であったからといえる。

民営化以降、経営環境はさらに悪化した。乗客の少ない路線では列車の本数も少なくますます不便になる。さらに高速バスの整備や距離を問わず車を使うという道民の気質もあり経営環境は年を追うごとに悪化を続けている。発足した１９８７年の幌内線廃止に始まり、１９８８年の松前線廃線。２０１４年には江差線が廃止され……と、路線の廃止に加えて特急など優等列車も次々と姿を消している。鳴り物入りで開通した北海道新幹線も現時点では赤字を生む存在のままだし、札幌まで開通してどうなるのか……。

だが悪い話だけでもない。この原稿を書いている現時点では、いまだ新型コロナウイルス流行は続いている。一時、日本各地にあふれた外国人観光客の姿も消えた。しかし、いち早く流行を沈静化させた中国では旅行意欲が高く国内旅行が一種のブームになっている。再び国境を越えた移動が可能になる２０２２年以降には、再び日本でも観光業が復興するだろう。観光に頼らざるを得ない北海道には明るい話題だ。

しかし、有史以前から、その時々の大陸や内地の動向に左右されて歴史の転換点を迎えたきた北海道。それはこれからも続くということだろうか。結局、今も北海道は独自の経済を築けてはいない。これが、歴史の事実である。

札幌駅のJRタワーは新しい札幌の象徴となるか。本業は振るわないJR北海道だが、ビル開発ではかなりの利益が上がっているとか

北海道コラム 1

北海道の神社の独特な風習

北海道には多くの移住者を背景に多くの神社が存在する。その様相は内地に比べると様々な違いがある。戦後、多くの神社は神社本庁のもと各都道府県に設立された神社庁に加盟することとなった。ところが、北海道においては北海道神社庁とは別に、独自に北海道神社教会が設置され、道南とりわけ渡島地方の神社はこちらに加盟することになった。理由は様々あったようだが、もっとも重視されたのは北海道全体でまとまった場合には札幌が中心になり、不便であることが理由だったようだ。

渡島地方は早くから和人が移住したこともあってか、北海道最古とされる神社が数多く存在する土地である。実際に、最古はどの神社なのかははっきりはわからない。函館市の船魂神社、北斗市の意富比神社、知内町の湧元神社・雷公神社など最古ではないかと考えられる神社は種々あるが、もっとも知られるの

は江差の姥神大神宮で、社殿では１２１６年の創建と伝わっている。祭神は天照大御神・住吉三柱大神・春日大神で、かつてこの地に草庵を結んでいた老婆があり、人々が飢えていたところに鰊が群来させて救った後５柱の神像が残っていたという伝承を持つ。地域のアイヌの伝承にも神のお告げで、鰊がやってきて飢えから救われたというものもあり、和人やアイヌの伝承が融合して神社となったと考えられる。

この渡島地方の神社の特色は、祭礼時の神楽である。現在は松前神楽として知られるが、神職が舞うことが特徴で、地域では奉職する際に神楽を舞えることが必要になっている。これは内地には見られない特徴であろう。

長い和人の移住の歴史がある道南に対して、ほかの地域の神社は比較的新しい。明治以降、移住した人々はそれぞれの故郷の神様を祀った。江別市の飛鳥山神社は熊本人が加藤清正を祀ったもので、札幌市の弥彦神社は新潟人が分霊したものである。炭鉱では山の神である大山祇神が盛んに祀られた。勅令によって創建された札幌神社（現・北海道大神宮）では、大国魂神・大那牟遅神・少彦名神が開拓三神として祀られ、道内にはこれを祀る神社も多く見られる。

比較的歴史が新しいために各地の風習が取り入れられている道内の神社だが、中でも北見市の北見稲荷神社では、1990年代に北海道でも始まった節分の恵方巻の神事が行われている。これは、恵方巻福銭祈願と呼ばれるもので、同地の北見鮨商組合が各店から持ち寄った恵方巻に加えて、五円硬貨4000枚でつくった「お宝銭」を神前に並べるというもの。この際の恵方巻は高野豆腐、かんぴょう、魚のそぼろなど、七福神にちなんで7種類の具材を用いて「屯田恵方巻」と呼ばれ、地域の風物詩になっている。現在では道内で、節分の際に恵方巻を供えて祈願を行う神社はけっこう多い。

第2章
内地とは空気の違う道民気質とはなんぞや

「今の」北海道民ってどんな人？

歴史の薄さと面積の広さが道民性研究を阻む

県民性はテレビやマスコミによってたびたび取り上げられて、すっかり世間に定着した。ただ、一般論として語られる県民性には、各都道府県の住民が拒否感を示すものが少なくなく、その信頼性についてはいまだに議論の余地を残している。中には、したり顔したコメンテーターなどが個人的な主観で、まるで全住民の気質であるかのように語ることも少なくない。そのため、世間に出回っている県民性がひとり歩きして、偏見を生む要因にもなっている。

そこで、本書で県民性を論じる際、その土地の歴史や風習といった客観的な根拠と一般的に語られる県民性をベースにして、現住民の生活習慣や証言をもとに考察するようにしている。

ところが、北海道に限っては、本書がこれまで貫いてきた理論にうまく当てはまらない。主な理由はふたつ。まず挙げられるのは、北海道は近世から近現代にかけて開拓されたという土地柄のため、北海道ならではの独自の歴史や風習が乏しいという点だ。しかも、ほとんどが内地からの入植者であり、全国各地の文化や風習がミックスされていて、どのように形成されていったかの文献が少ない。そのため、道民性を探るためにはフィールドワークが肝心になる。

だが、そのフィールドワークも困難を極める。言わずもがな日本の国土面積の5分の1を占めるほど広いからである。「でっかい道」とはよく言ったもので、取材はだいたい半日は移動時間に費やさなければならない。おかげで前々から悩んでいた肩こりや腰痛が、さらにひどくなった（道民は大丈夫なのだろうか？）。

というわけで、真の道民性が客観的に語られることはほとんどない。県民性研究の第一人者である祖父江孝男でさえ、著書の中で学生のレポートを引用せざるを得ないほどだ。そんな困難なテーマに切り込むため、まずは道民性を形成しているイメージや要素を概観していきたい。

文献で語られる道民の一般的なイメージ

さて、一般的に道民のイメージは「おおらかで素直。新しいもの好きだが飽きっぽい」などと言われている。こうしたイメージを定着させたのは前述した祖父江孝男によるところが大きい。同氏の著した『県民性の人間学』(筑摩書房)では、「ものごとに対する受け取り方が素直で、批判があればあったで、それをきちんと受け止める性格でもある。つまり、オープンなのだ。新しさについては、開拓してからまだ日が浅いという歴史的な背景が大きく関係している」と述べられている。こうした祖父江の論述は、テレビやマスコミなどで論じられる道民性のベースになっている。

そこからさらに文献を遡っていくと、札幌師範学校教諭だった早坂義雄が大正時代に著した『自然と人文趣味の北海道』(北光社)の記述に行き当たる。同著では長所と短所を次のように述べている。

【長所】

質実剛健・進取独立の精神が旺盛・活動性の富む・細かいことを気にしない

【短所】

粗野・言葉遣いが悪い・礼儀作法をわきまえない・利己主義で団結心に乏しい・公共マナーを守らない・見栄っ張りが多い

これらの特徴を総合して、道民性は西部開拓時代のアメリカのようなフロンティアスピリットによくたとえられる。確かに道東あたりの道は見渡す限りの大自然だし、行けども行けども1本道な様は西部映画に出てくる荒野のイメージにピッタリである。だからといって、道民がアメリカ人っぽいと決めつけるのは早計だろう。

また、道民性を語る上で欠かせないのは「男女平等」である。詳しくは後述するが、他の都府県に比べて、男女平等が進んでいるので、「女性が強い」というイメージも抱かれており、そこから発展して道民女性は「性に奔放」なんて言われることもある。

道民性の「地域差が少ない」は誤解⁉

道民を見ていて、先のイメージが当てはまると感じる部分は多い。しかし、だからといって全道民に当てはまるかには疑問が残る。祖父江は「気質の地域差が少ない」と述べていたが、今回北海道をぐるっと巡ってみたところ、各地域で気質の違いがあるように感じられた。たとえば札幌と釧路では歓楽街のつくりも違うし、夜遊びの方法も異なる。また、オホーツク海側の住民の方がよりおおらかだし、公共マナーに対して敏感でもあった。こうした地域差はこれまでの道民性研究で欠落していた視点である。

従来の道民性研究は、その多くが「札幌」と「札幌以外」という視点が強かった。確かに札幌は北海道の「リトルトーキョー」であり、全道民が認める中心地である。だが、それゆえに札幌で暮らしている人は、他地域の住民よりも強い道民プライドが形成されているようにも感じられる。では「札幌以外」の地域ではどうなっているのか。

本章ではこうした道民性の地域差について各論で触れていくことにする。

一般的にいわれる道民気質
おおらかで開放的
来る者拒まず
アバウトで楽天的
環境意識が低い
新しいもの好き
倹約家
北海道を褒められるのが好き
趣味の話題に食いつく
プールや海水浴の話が嫌い
男女の性格差が激しい

※各種資料により作成

外面を取り繕うも内面は柔い北海道男性

意外と草食系が多い⁉

実は、筆者のルーツのひとつは北海道にある。母は積丹町生まれで学生時代は岩見沢で過ごしたそうだ。子どものころ、亡き祖父に連れられて積丹半島から函館、小樽などを連れ回された記憶がある。まあ、当時はイクラがとにかくうまいぐらいのイメージしかなかったが。

ということで、個人的には北海道の男というと祖父のイメージが強い。頑固で無口、柔道は黒帯で質実剛健だが、酒と高校野球が大好物でパチンコや麻雀はめっぽう強かった。祖母や母の話を聞くところによると、若いころはかなりヤンチャなこともしていたようだ。一般的に言われる「破天荒（本当の意味は違うのだが)」で、どちらかというと昭和の映画に出てくる硬派なイメージである。

ところが、県民性を語る様々な文献に当たってみると、北海道の男性は「純朴で素直」「優しいが浮気性」など、どちらかというと軟派なイメージで語られることが多い。

たとえば、『ケンミンまるごと調査』(文藝春秋)では、北海道男性は「女性的な優しさを持ち、人当たりもよく、細かいことにこだわらないざっくりとした性格は、初対面でも付き合いやすさを印象づける」と称している。ちなみに、同書は全国約3万2000人を対象にアンケート調査を実施し、心理学統計を利用して県民性を調査したもの。もちろん個人差があるので、すべての男性に当てはまるわけでないだろうが、傾向を分析したものとしては、一定の信頼性があるといえる。

そう考えると、筆者の祖父は、こうしたイメージとかけ離れている。祖父が北海道にいたのは戦前から戦後までのことだし、時代の変化によって北海道男性の気質も変わった可能性だってある。第1章でみてきた北海道の歴史でも、戦前と戦後、１９７０年代くらい以前と以降では、道民の性向が変化していることがわかる。実際、北海道の知人と話してみても、どちらかというと穏やかで人懐っこいと感じることが多かった。祖父は北海道男性のなかでは異質な存在だったのかもしれない。

高倉健のような硬派な男性に憧れる

だが、北海道男性は硬派な男性への憧れが強いという証言もある。札幌生まれの作家・井上美香は次のように著している。

「古い話ですが、『男は黙ってサッポロビール』というＣＭのキャッチコピーがあったのを覚えていますか。テレビで流れていたのは70年代前半のことで、三船敏郎がイメージキャラクターを務めていました。あのキャッチコピー、北海道人はホントに好きです。ＣＭが流れてからすでに40年近く経ちますが、いまだに道民の間では語り継がれていて、40代以上なら誰でも知っています」(『北海道の逆襲』(彩流社) より)。

男は黙って○○というフレーズは、何もサッポロビールに限った話ではなく、硬派なイメージで日本全国に広く知られている。また、井上が同著で指摘するように、北海道といえば高倉健である。『幸福の黄色いハンカチ』や『網走番外地』など、北海道を舞台にした名画に数々出演していたことから、今も道民から深く愛されている。その証拠にロケ地となった地域にはことごとく高倉健のポスターがデカデカと貼ってあった。

まあ、実態はどうあれ北海道男性は、寡黙で硬派な男性に憧れやシンパシーを感じている。井上も「北海道男性は寡黙」と指摘しているし、ウェブサイトなどでも「静か」だとか「穏やか」だと評している。

外面は硬派を気取って内面は軟派

ただ、北海道男性は硬派に憧れていても、恋愛に関してはけっこう浮気性で軟派だといわれている。熱しやすく冷めやすい上に、あまり周囲の目を気にしないので、一度や二度の浮気なんて当たり前だと考えているというのが一般論として定着している。

ただ、この点については各地の住民から賛否両論の声があった。北見在住の男性が「いや、それは札幌とかの話だと思いますよ。こっちはそこまで浮気ばっかりする男はすぐに女から見離されますから」と反論すれば、釧路の女性は「1人か2人ぐらいまでの浮気はけっこうされますね」と賛同。実の父親に認知されていない女性にも数人出会ったし、おそらく浮気性の男性は少なくなさそうだ。ただ、その一方で硬派な男性への憧れは強いので、男性としては浮気性と呼ばれるのはあまり気持ちよくないのだろう。

外面はなるべく硬派であったり、人柄の良さをアピールしているが、内心はけっこう遊び好きというのが北海道男性の実態ではないだろうか。そう考えると、実は筆者の祖父とも共通点が多いように思う。はたと思いついて、実家に電話をして母に確認してみると、祖父も「何度か浮気をしていた」そうだ。

やっぱり時代を経ても、北海道男性は変わっていないのだ、としみじみ感じてしまう。北海道男性は、自らの欲望に対しても開拓精神があふれているのかもしれない。

北海道男性の気質
寡黙で引っ込み思案
話しかけられれば喜んで交流する
男らしさに憧れる
金銭感覚がしっかりしている
趣味など使うところにはお金を惜しまない

※各種資料により作成

道民の男性はどちらかというと寡黙だが、アルコールが入ると急に人懐っこくなる。一方、女性関係はけっこうだらしなかったりする

厳しい環境が育んだ自由で強靭な北海道女性の気性

北海道女性の「強さ」は個人の強さ

有名人が不倫をすると、とかく世間から叩かれがちだが、一方の庶民はというと、不倫を望む人は意外と多いらしい。不倫をしたことのある既婚女性が4割にものぼるというデータもあるほどだ。あくまでゴシップ誌の調査なので、それほど信頼性が高いとはいえないが、周囲の知人から不倫話を耳にする機会は多い。

なぜ、こうも世の中に不倫が多いのか。性の乱れというネガティブな指摘もあるが、その一方で男女平等が進んだ結果だというポジティブな意見もある。男女の地位が平等であれば、浮気をするしないは男女ともに自由に判断できるというのが、その根拠となっている。

さて、北海道はよく男女平等が進んでいるといわれている。開拓時代から男女が協力しなければ生きていけず、男尊女卑などといっていられなかったというのが、その最大の理由だという説が強い。実際に道民から話を聞いても、これに対する反論はあまり聞かれない。「今も夫婦共働きが多く、お互いにパートナーに対する不満が強ければ離婚もいとわない」。それが北海道女性の基本的なスタンスだと現地で教わった。

そのため、昔から北海道は「女性が強い」とされている。他の都府県と比べると、女性が卑しめられることが少なかったため、相対的に女性の地位が高いと考えられているのだ。ただ、北海道女性の強さは「かかあ天下」のような類とは異なる。たとえば群馬県や香川県は「かかあ天下」の土地柄として広く知られているが、これは女性が仕事もして、家庭内でも実権を握っているという意味で使われている。つまり「かかあ天下」は、夫を尻にしく強い妻という意味合いが濃い。

だが、北海道女性の場合、男性を尻にしくような強さではなく、あくまで対等。仕事も家事も恋愛も、すべてが男女ともに同じ立場であるという考えが大半を占めている。そのため、北海道女性の強さは夫婦間で相対的に測られるものではなく、個人の人間としての強さを示していると考えられる。

昨今はジェンダーフリーの意識が世界的に高まっているわけだが、北海道はその意味で、大変「進歩的」なのだ。

尻軽なんじゃない！　恋愛に素直なだけ

そもそも北海道女性が強さを獲得してきた要因は、男性に大切にされてきたからだという説もある。内地から開拓民が入植する際、まず始めに男性が移住し、住居や土地の開墾がある程度済んでから女性の入植が進んだ。

たとえば、札幌では1872年時点での出稼ぎ労働者数が男性3971人、女性が746人と、女性は少数であった。そのため、女性は貴重な存在であり、男性から大切にされてきたのである。女性からしてみれば、男性は選び放題。意地悪くいい換えれば、わがままをいってもチヤホヤされていたのだ。男性はフェミニストになることで、女性にモテたかったのかもしれない。もう必死なのである。

だからといって、現代でもまったく同じことが起きているとはいわないが、実際に北海道は常に離婚率で全国トップ５に入り続けている。北海道女性は、自分を本当に幸せにできる男性に出会うまで、結婚しなくてもいいし、離婚してもいいという習慣が根づいているのだろう。

それを裏付けるように、行く先々で道民の不倫トークを耳にした。中には数百メートルも離れていない家に住んでおり、奥さんとも面識があるのに、既婚男性と不倫をしているという話もあった。しかも、男性は、ほぼ毎日のように女性の家に入り浸っており、もはやどちらが夫婦なのかわからないという。このケースでいうと、不倫している女性は生粋の道民で、不倫されている女性は他県からの移住者だ。もしどちらも道民であれば、不倫をされている女性はすぐに離婚して、新たなスタートを切っただろう。というか、不倫している女性からしてみれば、なぜ離婚しないのか疑問を抱いているらしい。ちなみに、その女性も親の不倫関係で生まれたそうだ。なんともスゴい話である。

男性も自由だし、女性も自由だから、北海道ではあちこちで不倫トークが落ちている。もちろんすべての道民に当てはまるわけじゃないし、貞操観念がおかしいといいたいわけでもない。中には北海道女性は尻軽だなんていう人もいるらしいが、それはまったくの的外れだ。

おそらく道民は、恋愛に対して正直なのである。お互いに不満を抱え、何かを我慢してまで結婚生活をしていくつもりもない。だからこそ、浮気や不倫というものに抵抗がないのだろう。「好きになったんだからしょうがない」と言われれば、納得せざるを得ない。ましてや親や祖父母の世代からそういった考え方が根付いていれば、周囲から強い批判を浴びることもないだろう。自分の気持ちを貫き通せるという意味で、北海道女性は強いのである。

不倫を賛美するわけじゃないが、仮に個人の気持ちの問題として割り切れることができるのであれば、それもひとつの生き方だと思う。北海道が築いてきた男女平等社会は、恋愛に対する寛容さから見て取れるような気がするのは筆者だけであろうか。

北海道女性の気質

勝ち気でサバサバしている
我慢強い
流行に敏感
恋愛に積極的
キャリア気質で専業主婦は少なめ

※各種資料により作成

北海道の女性は、いわゆる肉食系と呼ばれることが多いが、尻軽ではないと自負している。ただ、恋愛体質であることは間違いない

道民がこよなく愛する道産ブランドへの執着心

長距離ドライバーの救世主！　神様仏様セコマ様

現地取材に赴く前に事前調査として、北海道出身の知人や、ＳＮＳを通じて北海道在住者の話を聞いてみた。そのなかでたびたび話題に上がったのが「セコマ」ことセイコーマートである。道民のセコマに対する愛着の強さったらハンパじゃない。とあるグループチャット内では「何はともあれ、とりあえずセコマだな」「セコマに行かないとか取材じゃないから」などと激推しされた。まさしく道民のプライドである。中には「全軒制覇してこい」なんて要求もあった。よく調べたら道内だけで１１００店舗以上もあるし、さすがにそれは無理がある。というわけで、今回の取材旅行では、緊急事態（主にトイレ）以外は、移動中の用事はすべてセコマで済ませようと、密かにマイルールを決めていた。筆者（鈴木）の担当はおもに道央から道東。新千歳空港からレンタカーによるひとり旅である。その道中、筆者は心から思った。セコマがあって本当によかったと……。

街の中心部ならまだしも、道東のドストレートな牧場ロードにはまったくコンビニがない。下手したら2時間ほど畑と牛しか見ないことさえある。そんなわけで、油断するとすぐに尿意が限界に達するのだ。そんなド田舎ゾーンと市街地の境界線に必ずといってぃいほどあるのがセコマだ。「なんて気が利く店舗配置！」と思わずうなったのはいうまでもない。時限爆弾のように迫りくるタイムリミットを感じながら、何度駆け足でオレンジのゲートをくぐったことか。まさしく神様仏様セコマ様である。

そんなこんなで取材期間中はセコマに大変お世話になった。だが、道民がセコマにプライドを感じているのは、当然ながら長距離ドライバーのトイレを配慮した店舗配置だけではない（偶然かもしれないしね）。事前調査でも何度もオススメされた店内調理の「ホットシェフ」である。ほとんどの店舗に備えてあり、レンジで温めなくても食べられるセコマならではのサービスで、多くの道民におすすめされたのが「大きなおにぎり」と「カツ丼」。お昼時に行くと、カツ丼は売り切れになっていることも少なくなく、大きなおにぎりもほとんど残っていなかったりする。筆者は、意外に総菜コーナーにあるナポリタンとか焼きそばを夜食によく購入していた。安いし、味も量もちょうどいいんだな、これが。まあ、道民にまんまと乗せられてすっかりセコマに魅了されてしまったわけだ。

知名度の高い道産ブランドは何があっても愛着度が高い⁉

さて、道民はとにかく北海道が好きだ。地域ブランド調査を主宰するブランド総合研究所が発表している「都道府県愛着度ランキング2020」で、北海道は堂々の1位。「とても愛着がある」（58・2パーセント）、「やや愛着がある」（29・2パーセント）の合計は87・4パーセントにも及ぶ。最下位の埼玉県（65・2パーセント）と比べると、約22ポイントの開きがある。道民による地元愛は全国でも随一なのだ。

地元愛が強いので、道民は「北海道産」というブランドを愛している。たとえば、「じゃがポックル」は基本的に北海道でしか手に入らないカルビーのオリジナル商品だが、道民に聞いてみると、同じカルビーブランドの「じゃがりこ」と、たいして味は変わらないという。しかし、どちらが好きかと問われれば、やはり「じゃがポックル」となる。その理由は至ってカンタン。原料となるジャガイモがすべて北海道産だからだ。そこまで気にしていなくても「北海道オリジナル」というブランドは道民の心に強く響く。道民はひとたびプライドを感じることができれば、その対象を深く愛するのである。それは、名前に深く傷がついても変わらない。

北海道を代表するブランドである雪印もそのひとつだ。かつて「雪印乳業」という会社名だったが、2000年の集団食中毒事件、2002年の牛肉偽装事件などの不祥事が相次ぎ、再編を余儀なくされ、2011年に雪印メグミルクに吸収合併となった。

当時は全国的に大きく報道され、乳牛業界全体に影響を与えるなど、世間に少なくない傷跡を残した。それでも道民は雪印を愛してやまない。メグミルクは今でも定番のひとつだし、「ソフトカツゲン」を愛飲する道民は数知れず。このように、道民は一度愛した地場ブランドを決して見捨てない。「内地」に引っ越した元道民も、可能な限り牛乳は雪印を選ぶという話もある。

それはモノだけでなく、有名人でも同様だ。最たる例は鈴木宗男。かつて収賄などの嫌疑により公民権をはく奪されたが、2019年の選挙では北海道はもちろん全国行脚をして比例区で見事に議員へと返り咲いた。あれだけの不祥事が取り沙汰されながらも、松山千春をはじめとして支持をする道民はかなり多い。釧路のラウンジに勤めていた20代女性も「がんばってるよねぇ」と好印象を持ってたし、けっこう愛されキャラではありそうだ。

こうしてみると道民が愛する「道産ブランド」は、セコマのように地元に深く根づいているか、全国的な知名度の高さが関係しているような気がする。北見のハッカなんて、他の地域だとけっこうスルーされてるしなあ。そういえばセコマも某番組に取り上げられて全国区になったっけ……。ってことは、やっぱり知名度が愛着度を育てているように感じなくもない⁉

札幌市内にある「雪印バター誕生の記念館」。道民が自慢の雪印バターはこの場所で初めて製造された

道民御用達のセコマ。ホットシェフの温かいおにぎりが人気。個人的にはベーコンおかかがお気に入り。本当にお世話になりました！

「進取だが飽きっぽい」は誤解されている？

ミーハー気質は間違い!?

道民の気質のひとつとしてよく挙げられるのが「新しいもの好きで飽きっぽい」だ。悪くいってしまえば、ミーハーである。道民が新しいもの好きなのは、歴史的背景や土地柄が関係しているらしい。前出の祖父江孝男は次のように説明している。

「北海道の畑作や牧畜を中心とした大規模な農業をやっているので、家と家との間が内地よりも相当に離れている。家族以外に共同体というものがそれほど必要とされない。（中略）共同体規制がなく、個人主義的な傾向がつくられたので、新しく入ってくるものも比較的、容易に受け入れられた」（『県民性の人間学』筑摩書房）。

新しいものが好きなので、それほど歴史や伝統といったものに関心がない。北海道は日本屈指の観光地でありながら、歴史的建造物がほとんど残されておらず、文化財の数は全国で41位と下から数えたほうが早い。

もともとこの地に住んでいたアイヌは、あまり大型の建築物を残しておらず、歴史的建造物といえば明治以降の開拓期からのものとはいえ、明治大正期の建築物だって保存されていれば文化財にはなるはず。たとえば、札幌にあった明治時代の郵便局と電話局は名古屋に移築され、まさかの名古屋で文化財に指定されていたりもする。かといって、道民がそれを悔しがることはない。「ま、いっか」程度で済んでしまう。これが京都人だったら「もともとはうちのもん」とイケズなへらず口を叩いていたことだろう。

このように、道民は得てして歴史とか伝統とか形式ばったものは気にしない。ただ、注意しなければならないのは、あくまで「形式ばったもの」という点だ。先に触れたように、雪印やセコマなど生活に根づいた「現在に続く伝統」に対しては強い愛着を抱いているのだ。

だからこそ、ひとえに「新しいものが好きだから、飽きっぽい」と結論づけるのは早計ではないだろうか。本当に新しいものばかりが好きだったら、地元ならではのソウルフードなんて育たないはずだ。

しかし、帯広の豚丼だったり、釧路のつぶ焼だったり、旭川ラーメンだったりと、道内各地にソウルフードが点在している。これは地元民によって長らく愛されてきたからこそ、全国に紹介しても恥じない食べ物として広く知れ渡ったはずだ。

他県と比較すると、たとえば茨城県はソウルフードを作ろうとして、焼きそばやコロッケなどのご当地モノを打ち出したが、いずれも低空飛行を余儀なくされている。単純に地元民が普段から食べていないものを無理やりソウルフードに仕立て上げようとするから（その時点で「ソウル」でもなんでもないわけだが）、他県民だけでなく、地元民からもソッポを向かれてしまうのだ。だから茨城は魅力度ランキングで万年最下位だったわけだが。

こうした点を踏まえると、道民を単なるミーハーとして括ってしまうのは間違いではないかと強く思う。ほとんどえん罪なのではないのだろうか。

ブランドになるなら食べてなくても推しです!!

道民が「飽きっぽい」というのは、あまり頓着せず、はっきりと区別してしまう気質があるからではないか。たとえば、全国的に北海道土産として知られている「白い恋人」は、あまり道民が食することはない。東京に出向くときなどはお土産として持参するが、普段から食べているわけではないのだ。それはロイズの生チョコしかり、六花亭のバターサンドも同様である。もちろん味が嫌いなわけではないし、北海道でしか買えない貴重な土産物であることは重々承知している。しかし、だからといって決してソウルフードではない。なぜなら、あくまでこれは日々の生活とは関係ない「土産物」だからだ。

先ほども述べたように、道民は共同体意識が薄い。もしかしたら「うちはうち、ヨソはヨソ」という意識がもっとも強いのではなかろうか。それは開拓の歴史だったり、雪国という気候も関係していると考えられる。

道民は基本的に半年近くも冬の期間を過ごさなくてはならない。その期間は買い物さえ不便を強いられることになる。札幌などの都市部ならまだしも、他の地域では完全冬装備の車でさえスリップの危険がつきまとうので、買いだめが基本だ。その際に必要となるのは、生活に直結する野菜、肉、魚（あと酒）といった主食である。秋になると産直センターに道民が殺到するのも、長い冬を過ごすための知恵だ。こうした習慣は冬だけではなく、夏でも垣間見られる。スーパーでは、パンパンの買い物袋や段ボール買いがとにかく目に付く。そのほうが相対的に安いってのもあるが、北海道の冬が長いという点も関係しているのではないだろうか。このような生活の中で、「土産物」はまったく必要ない。せいぜいじゃがポックルぐらい。白い恋人だったり生チョコだったりといったぜいたく品を日常生活で必要としないのである。

それでも道民はお土産として、他県民に白い恋人や生チョコを渡す。共同体意識が薄いとはいえ、北海道というブランドを世に知らしめるものに対しては強い愛着を示すのだ。その一方で、北海道ブランドとして認めるに足らないものに対してはめっぽう冷たかったりもする。ドライというか、穏便に見えて、意外とシビアなのだ。

白い恋人は北海道でしか買えないというプレミア感で、道民から圧倒的な支持を受ける。日頃から好んで食べてるわけじゃないけどね

生キャラメルは全国展開したため、道民人気はそれほどでもない。田中義剛はそもそも北海道出身じゃないしなあ

アイヌについての真面目な話その1

帝国主義下で苛烈になったアイヌ支配

今回、シリーズで始めて北海道全土、そして道民を探究するにあたってアイヌに触れないわけにはいかなかった。折しも角川ソフィア文庫で『違星北斗歌集 アイヌと云ふ新しくよい概念を』が出た。著者は厳しい差別に晒され民族としての誇りを自覚し多くの短歌を残した人物である。

彼が「アイヌの啄木」と呼ばれたということはよく知られているが、享楽的かつ破滅的な人生を送って早逝した啄木と、生涯をアイヌの民族的自覚に尽くした北斗との人生を知れば、正しい表現とは思えない。ともあれ、この頁を記すにあたって幾人かに話を聞く中で改めて感じたのは、差別に晒されながらも、教育を得る機会があった北斗はまだ幸運だったということである。

さて、第1章で記したように江戸時代以降、アイヌは和人と交易しなくては生活が維持できず、かつ不当に搾取される地位へと転落した。明治になり蝦夷地が北海道と改名されたことは、いわばアイヌの土地を日本の内側として支配することの宣言であった。こうしてアイヌ・モシリは否応なしに蹂躙されることとなった。この施策の始まりは、開拓使の顧問となったホーレス・ケプロンの提案した政策である。ケプロンはミラード・フィルモア大統領時代のアメリカで先住民の保留地への強制移住の任にあたった人物だ。19世紀前半から活発になったアメリカでの民族浄化政策は先住民に保留地を与え、そこで徐々に白人文化に同化させていくというものであった。この政策を基にケプロンはアイヌのコミュニティの破壊と同化を開拓使に勧めた。

1871年、戸籍法が公布されるとすべてのアイヌは平民に編入された。同年にはアイヌの入墨・耳輪などの伝統的な習俗を禁止し、日本語の習得と農具の付与などを行っている。中でも、アイヌに日本の氏名を強制することは、そのアイデンティティを破壊するにもっとも効果的な施策であった。

続いて、アイヌのコミュニティ破壊が強化されたのは1872年の北海道土地売貸規則・地所規則制定だった。これは内地で実施された地租改正にあたるもので、土地所有者を確定して税収を得る近代的な土地所有制度の導入である。これは集落であるコタンの周りに共有地であるイオルがあり、そこから生活の糧を得ているアイヌの社会構造を破壊するものだった。土地は個人が私的所有して税金を納めるのは現代では常識だが、内地においても地租改正は容易には受け入れられず一揆に発展する地域があった。内地ですらそうなのだから、北海道ではさらに問題は大きかった。まず、土地の私的所有という概念そのものがアイヌには存在していなかった。その間隙をつくかのように「無主の土地」と見做した土地が、内地から移住した和人によって奪われていったのだ。1875年にはロシアと樺太・千島交換条約が締結されるが、この際に樺太アイヌは日本人と見做され、募集という名の強制移住で北海道へと連行されている。増加する移民に対して数で圧迫されるようになったアイヌだが、さらに困難を極めたのは伝統的な狩猟や釣りが禁止され、時期や地域が限定されたことだった。この背景には江戸後期から収穫量が減少していたことへの対処があったとされるが、日々の食べ物すらも変わることを強制されたアイヌは、体力も衰え和人たちが持ち込んだ伝染病に苛まれることになった。

「旧土人保護法」による同化の苛烈化

アイヌを農民化し、さらに同化する政策は、1872年に東京にアイヌを連行し、教育を受けさせる開拓使仮学校が芝・増上寺に設立したことに始まり、道内各地にアイヌ学校が設立されることで進展した。しかし、開拓使に代わった道庁の支配は徹底せず、アイヌの困窮はさらに悲惨になった。これを見た衆議院議員・加藤政之助が1890年に提案したのが「北海道土人保護法案」だ。

これは廃案になったものの、1899年にほぼ同じ法案が政府より提案され「北海道旧土人保護法」として成立する。これは、1887年にアメリカで成立した先住民を小土地所有農民としての自立させ同化させるドーズ法を基本としたものであった。「保護」とあるから、確かに保護は実施された。農地として1万5000坪の土地を与え、医薬品、埋葬料、授業料の供与も行うとされたが、実際はアイヌの共有財産を奪い、その収益を保護のために用いるものだった。与えられた農地も耕作には適さず、アイヌは土地を離れ、漁場や鉱山、内地へと労働力として流れていき同化は進んでいった。中には和人の香具師《やし》に連れられて内地で見世物とされる者もいた。

同化させる側の和人にとって、アイヌは未開の遅れた民族であった。1907年に東京で開催された東京勧業博覧会をはじめとする博覧会でアイヌが「展示」されたこと。1995年に発覚した北大人骨事件は、研究者たちがアイヌをはじめ、ウィルタやニヴフの墓を盗掘し遺骸を標本として持ち去っていたことが発覚した事件であった。このことは、和人がアイヌをどういう存在として見ていたかを示す事例といえる。

こうした苛烈な支配の中で、アイヌの民族的自覚も生まれていった。十勝アイヌの伏根弘三は農業経営に成功し、その私財をもって学校をつくり、分断されたアイヌの組織化を進めた。この行動が基になって結成された十勝旭明社を母体として、1930年には北海道アイヌ協会が設立されるに至った。これに参加した吉田菊太郎は1932年に幕別村会議員にもなっている。

真駒内駅から約30分の場所にある札幌市アイヌ文化交流センター。復元制作された民具やチセ（家屋）が復元されている

近年やっと充実してきた北海道のアイヌ関連施設だが、アイヌといっても様々な集団がおり、展示内容には異論も多く出されている

アイヌについての真面目な話その2

和人側の意識変革は1970年から

内地、和人の視点に立てば、アイヌの存在を『イヨマンテの夜』に歌われている「昔いた未開の土人」ではないと気付いたのは1970年代に入ってからである。重要なターニングポイントは1970年7月の「華青闘告発」である。これを解説しているだけで紙幅が尽きるので詳細は省くとして、これを契機として「マイノリティの運動」すなわち在日朝鮮人、部落、障害者、琉球・アイヌ民族の運動が革命運動、反体制運動の中心へと踊り出てくる。

ここに竹中労・平岡正明・太田竜によって提唱された「窮民革命論」が台頭し、「疎外された窮民」であるアイヌは東アジアにおいて琉球民族とならぶ世界革命（の前段階である対日戦争）の主体として評価されるようになる。こうして、道内では1972年の風雪の群像・北方文化研究施設爆破、1976年の北海道庁爆破、道外でも1974年の三菱重工爆破などの闘争が発生した。

しかし、である。問題は、これらの闘争はあくまで和人による闘争であり、アイヌが参加したものではなかったのだ。いま識者に問うと「アイヌにとっては、まったく意味はなかった」ものであった。唯一、融和主義的な方針を取っていた北海道ウタリ協会（現・北海道アイヌ協会）に対して結城庄司らによるアイヌ解放同盟が誕生し、ラジカルな運動が展開されたことくらいであろうか。アイヌを利用するだけの和人の独りよがりなものに終わった爆弾闘争ではあるが、和人が自らの祖先から連なる侵略者性を自覚する契機とはなった。

1994年、萱野茂がアイヌ初の国会議員となったことでアイヌを取り巻く状況も変わった。同化政策強制の根拠となり、アイヌを「土人」と差別意識してきた北海道旧土人保護法に代わり、1997年には「アイヌ文化の振興並びにアイヌの伝統などに関する知識の普及及び啓発に関する法律」が成立した。

しかし、この法律でもアイヌは先住民とは認定されなかった。日本政府がアイヌを先住民として認めたのは、2007年9月に国連総会で採択された先住民族の権利に関する国際連合宣言を踏まえ、2008年6月にアイヌを先住民族として認めることを政府に求める国会決議が、衆参両院とも全会一致で可決されてからだ。これに先立つ5月に鈴木宗男が国会に提出した「先住民族の定義及びアイヌ民族の先住民族としての権利確立に向けた政府の取り組みに関する第3回質問主意書」に対して政府は、「アイヌの人々は、いわゆる和人との関係において、日本列島北部周辺、とりわけ北海道に先住していたことは歴史的事実であり、また、独自の言語及び宗教を有し、文化の独自性を保持していることと等から、少数民族であると認識している」と答弁している。

しかし、国会決議はあくまで認めることを求める決議であり、政府は先住民族認定を避けた。だが、歴史研究の進展と普及によって日本が単一民族という幻想は、過去のものになっていった。そして、2019年4月に「アイヌの人々の誇りが尊重される社会を実現するための施策の推進に関する法律」が制定される。この法律は第一条で「この法律は、日本列島北部周辺、とりわけ北海道の先住民族であるアイヌの人々の誇りの源泉であるアイヌの伝統及びアイヌの文化」と記しており、ついにアイヌは先住民として認められるに至った。

しかし、いまだ単一民族幻想は払底されていない。2020年1月には麻生太郎財務相が福岡県飯塚市で開いた国政報告会で「2000年にわたって同じ民族が、同じ言語で、同じ一つの王朝を保ち続けている国など世界中に日本しかない」と発言している。

ともあれ、アイヌ民族が先住民とする認識は広がり、2020年には国立アイヌ民族博物館などからなる民族共生象徴空間・ウポポイが白老町に誕生した。また、野田サトルのマンガ『ゴールデンカムイ』はエンターテインメント作品としての面白さだけでなく、アイヌを正確に描いた作品として評価されアイヌ文化に興味を持つ層を広げている。

新たに生まれた差別

一方で、こうした動きに対して新たなるアイヌ差別も生まれている。「アイヌ利権」という言葉に象徴される新たな形の差別が最初に顕現したのは、20

14年8月に自由民主党所属の札幌市議会議員だった金子快之がツイッターで「アイヌ民族なんて、いまはもういないんですよね。せいぜいアイヌ系日本人が良いところ」と発言したことであった。金子は自民党会派からも除名され、その後の市議選で落選。紆余曲折の末に現在は渋谷区議だが、いまだに自身のサイトで「アイヌ利権」を主張している。

国内外を問わず差別されてきたマイノリティの集団が力を得て強権的に振舞う事例は確かに存在している。しかし、アイヌはそうもなり得なかった。その数は激減し、同化の強制が根深く浸透したからである。2013年の調査では北海道内のアイヌの人口は6880世帯1万6786人である。アイヌがもっとも多く暮らす日高地方でも6379人に過ぎない。和人との圧倒的な数の差、そして同化の強制はアイヌが団結する可能性すら奪ったのだ。そして、差別は明らかに継続している。生活保護を受けている世帯は1972年には市町村の保護率より6・6倍も多かった。2017年には、この差は1・1倍にまで減少しているが、いまだアイヌは社会の下層に押し込まれている。

江戸時代、アイヌと和人の関係が決定的に悪化したときに立ち上がったシャクシャインにちなんでシャクシャイン記念館はつくられた

北大はアイヌ研究の一大拠点だが、遺骨の扱いなどアイヌに対する明白な差別観が長らく存在したことを証明する研究機関でもある

洗練された都会人なのに札幌人のマナーは悪い

道民気質の中心は札幌人気質

北海道各地の気質を探るには、当然というべきか、まずは札幌を軸に考えなくてはならない。一般的に道民気質は「札幌」か「札幌以外」で分けられると考えられているからだ。たとえば、道民を表す言葉に「道産子」という言葉があるが、札幌の住民は道産子で括られることをあまり好まない。どちらかといえば「札幌人」とか「札幌っ子」と呼ばれたほうが自尊心をくすぐられるそうだ。ちなみに、本書では「札幌人」という呼称にならって各地の住民のことを「〇〇人」と表していきたい。

札幌は全国5位の人口195万人を抱え、札幌都市圏ではその数は236万人にも膨れ上がる。北海道全体の人口の約45パーセントが暮らす文句なしの大都会である。そのため、札幌以外の道民から見ると、「札幌人は洗練されている」とか「都会っ子でオシャレ」というイメージが強いらしい。古くからリトル東京と呼ばれ、札幌人は北海道における時代の最先端だ。街を歩いてみても、札幌人はとりわけオシャレに気を遣っているように見えた。顕著なのが子供で、道東あたりで見かける小学生は、地方ノリの芋ジャージ姿だったりしたが、札幌の小学生はユニクロやGUに代表されるようなシンプルなファストファッションに身を包んでいる子が多かった。東京のタワマン街で見かけるような子供とそっくりである。

よく道民は「言葉遣いが悪い」と称されるが、札幌人についてはかなり言葉遣いも丁寧になってきている。まあ、ちょっと北海道訛りがあったりもするけれど、40代以下の札幌人はほとんど標準語と変わらない。北海道を巡ってみた結果、身をもって札幌人の洗練っぷりを実感した次第である。

札幌人は移住者からの評判もすこぶるいい。というのも、札幌人はヨソ者を排除する意識が薄いからだ。同胞への仲間意識はあるものの、だからといってヨソ者を邪険に扱うことが少ない。

実際、札幌人はかなり人懐っこい。釧路のラウンジで札幌人男性と隣合わせになったのだが、まだはじめましての挨拶もしないうちに「お兄さん、どこから来たの?」とすぐに声をかけられた。どうも札幌人は、微妙なイントネーションの違いなどから、札幌人以外を見分ける能力が高いらしい。まあ、ラウンジという場所柄、話しかけやすいというのもあったのだろうが、それにしたって最初から友達感覚なのは、なかなかすごい。この男性の性格かと思ったが、ラウンジのお姉さんも「札幌の人はコミュニケーション能力が高い」と評していたし、様々な文献を読んでみても、同様のことが書いてあった。札幌人のヨソ者と仲良くできる能力は全国でも屈指といえるだろう。

自由でマイペースゆえにマナーが悪い!

一方で、札幌人は「洗練されている」ことを自負しているので、多少見栄っ張りともいわれている。北見の60代女性は「札幌の人は、見栄っ張りだからね。

スナックとかに行くと、お金なんて全部使っちゃうんだから」と話していた。また、釧路で出会った男性は「札幌人は〝俺は札幌だ〟っていうプライドがあるからさ、下に見られたくはないんだよね」と分析。他の道民から見れば、自信家に映ることもあるようだ。道民のルーツには、東北地方からの移住者が多いわけで、青森や宮城、秋田あたりの見栄っ張り気質が影響している可能性もあるが、どちらかといえば「札幌は圧倒的な都会」という現代の価値観やヒエラルキーの方が強く作用しているのかもしれない。

ただ、道民気質の興味深いのが、そんな自信家の札幌人を、他の道民がまるで嫌っていない点である。関西あたりだと、プライドが高い人種同士でいがみ合ったりするのに、北海道ではそんな話をとんと聞かなかった。どうも都市間のライバル意識も少ないようだ。おそらく街と街との距離があまりに離れているので、お互いに意識する機会がないのだろう。だからこそ札幌人の自尊心は傷つけられることなく、着々と育まれていった。こうして札幌は北海道の中でも独自性の高い気質として形成されたのだ。

しかし、マイペースでぬくぬくと育ってきたため、札幌人は時に社会規範を大きく逸脱することがある。今回の北海道取材は、何度か取材班と日程を分けて赴いたのだが、数カ月前から取材日を決めていたために、たまたま緊急事態宣言下に行かざるを得なくなった（感染対策は万全で行きましたよ！）。当時、札幌は東京以上に感染拡大が叫ばれており、札幌の取材は必要最低限にしていた。それでも街並みの写真などを撮影するため、すすきのに繰り出して驚いた。マスクをしていない若者がけっこういたのだ。ぶっちゃけ東京にもいないわけではないし、すべての札幌人が当てはまるわけではない。ただ、帯広や釧路の繁華街ではマスクをしていない若者を見かけるどころか、ほとんど人がいなかった。道東最大の繁華街である釧路の末広町は、札幌の10分の1程度の感染者しかいなかったのだが、キャバクラもスナックもすべてが店を閉じていた。一方のすすきのは自粛要請に応じていない店も少なくなく、「そりゃあ感染も広がるわけだ」と、思わずつぶやいてしまった。

自由でマイペースといえば聞こえはいいけど、さすがにあれだけ騒がれておいて危機感がなさすぎやしないだろうか。もちろん理由もあるだろうが、「礼儀作法をわきまえない」という気質は、どうも昔から変わらないようだ。

札幌の若者はやっぱりファッションの流行感度が高い。他の道民に比べて洗練されている印象で、東京にいるのと変わらなかった

札幌人は北海道の中心という自負心が強いせいか、プライドが高く見栄っ張り。あんまり自覚がないのがたまにキズ

開明的なばくち打ち？ 函館人の激しい生き様

札幌を歯牙にもかけない外向きの気性

函館という土地は道内でも独特の気風を育んでいる。北海道の現代史で常に札幌にそっぽを向いてきたのが函館だ。道内で古くからの名門校といえば札幌南高校、戦前は札幌一中。ここの卒業生は伝統的に役人と軍人になる者が多く、いわば内地のために奉仕する植民地支配の手足を要請する学校だった。

対して、函館で燦然と輝く名門が函館中部高校、戦前の函館中だ。こちらは、道内最古の公立校である。植民地経営の便利な人材を輩出してきた札幌一中に対して、こちらは学者と医者を多く出してきた。それに作家も。亀井勝一郎や久生十蘭、水谷準はここの卒業生である。

今は観光地として見る向きが多いが、函館は商港である。商業学校は1886年に通信商業、のちの函館商高ができた。当然、企業で名を成す人や経済学の大家になった卒業生は多いのだが、それ以外も目立つ。GLAYのボーカルTERUもここの出身だが、ほかのインパクトのある歴代出身者からすると、ちょっと霞む。歌手の瀬川伸、俳優の益田喜頓。呼び屋の神彰と人材は豊富だ。

函館中はサラリーマンの子弟が通うのに対して、商業学校のほうが商家の子弟が多く、金があるので勝手なことをする人が多かったのでOBは多彩ともいわれている。瀬川伸は今は瀬川瑛子の父親といったほうが通じるが親子2代で紅白に出ている希有な人材である。神彰は海産物問屋の生まれだったが、戦前に満州に渡って人脈をつくり、引き揚げてきてから始めたのが呼び屋だった。今ではプロモーターとかプロデューサーとか呼ばれる仕事だろうが、要は興行師。失敗すれば負債は自分で背負うわけだから山師である。その呼び屋の世界で、神は共産圏に強いネットワークを持つ「赤い呼び屋」として知られていた。ソ連のサーカス団をボリジョイ・サーカスと名付けて日本に連れてきたのは、この男だった。浮き沈みは激しかったが、最後は居酒屋チェーンの北の家族を立ち上げて成功させて死んだ。

これだけ書いても、役人天国の北海道において函館人独特の開明的かつ、山師的な気質がわかる。なにせ、明治以前から拓けて学校もできた先進的な土地である。お上が明治になってからつくった札幌など眼中にないわけだが、それにしても気風が違いすぎる。今ではあまり意識されなくなったが、旭川や小樽では札幌に出ることが栄転だった。対して道南では函館に出ることが栄転。会社で出世して札幌に行くことになっても函館の人は栄転とは感じなかった。あくまで本州志向だからである。道内のほとんどの地域が札幌を中心にものを考え、道民としてのアイデンティティを模索する中で、函館人はそれに抗い続けて来たのである。

ロマンチストな函館人

函館人はとかくロマンチックに理想を求める。代表格は亀井勝一郎だろう。1926年に東京帝国大学文学部美学科に入学した亀井は、新人会に参加し中退。治安維持法で逮捕され入獄した後、しばらくプロレタリア文学運動に傾注する。1935年に転向すると保田與重郎と『日本浪曼派』を創刊し、近代批判と日本の伝統回帰を提唱する。のちに親鸞に傾注し、日本仏教への関心を強め、常に理想を求めて求道をした。大三坂の亀井勝一郎生誕の地碑の向かいには、生家が今も残っている。異国風なハリストス教会の下、元町カトリック教会の手前、本願寺の横手にあるイギリス風のピンク色をした洋館である。この伝統と異国情緒が交錯する風景こそが理想を語りがちな函館人の原点である。

風景画家の田辺三重松もまたロマンチストな函館人だ。家業の呉服屋を廃して新川小学校（現・中部小学校）の教員となった田辺は、ヒマさえあればいつも函館山を描いていた。戦前には画家として知られていた田辺だが、いかんせん函館山は要塞地帯。写生をしているだけで憲兵や刑事がやってくる。だから人目を忍んで大急ぎでスケッチをしてはホワイトの絵の具で塗りたくって隠し、家に帰ってから仕上げた。戦争中は、報道班員として北千島派遣部隊に従軍した田辺は、玉音放送を聴いた時に小躍りした。「ああ、函館山が描ける」と。

伝統と西洋が入り交じる特異な函館。北海道で最初に牛乳を飲んだのも、病院ができたのも、すべて最初。ハイカラなのが当たり前なのだから、いつも視線が遅れた札幌よりも東京へ向くのは当たり前。知内村に生まれた北島三郎が函館西高校を中退し、歌手を目指して上京したのは18歳のときだった。内地に向かう連絡船の中で悲壮感はまったくなかった。これを寒さと大地の広さという道民の気質と読み解くのは性急な気がする。むしろ、内向きに土地の広い島に閉じこもっているだけではならないということを肌で感じることができる函館人ならではの感性ではなかろうか。北島の「日本の心」を歌っていると評される数々の名曲が古びないのは、土着的ではない文化的素養の高さがある。

もうひとり、函館ならではの奇抜な気性を持っていたのが川内康範だ。日蓮宗の寺に生まれて、小学校を出た後は工員、炭鉱夫、ドサ周りの劇団員、映画会社を渡り歩いて『月光仮面』で当てた。特撮では『レインボーマン』、それに監修に参加した『まんが日本昔ばなし』もそうだが、川内の作品には子供だましのテレビ番組に留まらない独特の意思があった。漫画家の永井豪がパロディ作品の『けっこう仮面』を連載する前に許可をもらいにいったところ快く許したあたり、奇抜で開明的な函館人の気性が見え隠れする。

函館人はある意味典型的な港町気質。つまり「お客さん」には親切だが決して「身内」にはしようとしない。福岡あたりに似ている

函館人もファッション感度は高い。街のパワーではもはや札幌に勝てると思っていないがオシャレ度では札幌より上と思っているとか

暴れ回る稚内人たちの素顔はインテリで堅実だったりして

メディアの数が示す文化レベルの高さ

稚内出身者として思い出すのは官能小説家の館淳一だ。絡みつくような官能描写の間にはいつもハードボイルドなドラマが展開しているが、とりわけ地方都市、それも海に面した地域の権力者が支配しているような街の描写や場末の歓楽街の描写は、さもその街が実在しているかのように濃い。これも遙かなオホーツクの街で生まれたからこそ描けるものだろうか。

今ではポルノの一ジャンルとして存在感を強めている『男の娘』だが、少年時代に読んだ江戸川乱歩の小説で二十面相に女装させられる小林少年の描写を忘れることができず、強制女装として自作に描いたのは１９８０年代。当時は、まったく人気が出ずに続かなかったが、10年ほど経って訪れた新宿二丁目のバーで女装者に「私、先生の小説で目覚めたの」と言われた……という話を前に本人から聞いた。いまだ生地では顕彰する向きがないのは、ちと寂しい。

ともすれば、ダ・カーポの歌った宗谷岬が唯一の観光地。青春を生きる若者が18きっぷか自転車でたどり着く最果ての観光地のようなイメージの稚内だが、文化レベルは高い。地域紙は『宗谷新聞』と『稚内プレス』の2紙があるし、月刊誌『月刊道北』も発行されている。人口は3万人ちょっと。宗谷地方全土に拡げても6万人程度で、これだけのメディアが存在しているのだから住民が政治経済や文化に常に高い関心を持っていることがうかがえる。

日本が高度経済成長を経て豊かになった1970年代においても、稚内は宗谷本線をSLが走る最果ての街だった。1906年に樺太との間に定期航路が開かれてからは、賑わいもあったが敗戦と共にこれも失い、引揚者も加えて再びどん詰まりの街に。人口に比べてやたらとメディアが多いのは常に国どころか国際政治の狭間で翻弄されてきた経験だからだろうか。一方で、このことは内地から見れば北の最果てでありながら、極めて開明的な気性を生んでいる。

市長に見る出たとこ勝負な気質

戦後、稚内の市長は工藤広（2021年6月末現在）で5人目である。札幌市が戦後6人目、函館市が9人目なのでいささか代替わりが少ない。戦後の多くの時期を稚内の天皇とまで呼ばれた浜森辰雄が市長をしていた。在任は8期、1959年から1991年まで。ほぼ戦後を浜森ひとりでやり尽くしたのだ。

戦後、公選制になって最初に市長になったのが、西岡斌《たけし》。今は稚内公園で銅像になっている。西岡は高知県の生まれ。両親に連れられて木材積み取り船で稚内に来た。近衛師団に入った後、中央大学を出てオックスフォード大学に留学。1927年に稚内に帰ってきて『宗谷日日新聞』を創刊した。初当選は1949年。さっそく東京から丹下健三を招いてまちづくりのプランを立てた。ただ、このプランは財政スケールも無視したもので、ついには財政は赤字に。ほら吹き呼ばわりされ、商店街は職員には物を売らないと言い出し酒場には「職員の宴会はお断り」の貼り紙まで掲げられた。

あまりにスケールが大きかった西岡が引退した後の選挙に出たのが、浜森だった。父親は石川県の人で礼文島に渡りのちに稚内の恵山泊に移った。小学校を出ると丁稚に出されたが奮起して札幌高等経理学校から早大に進んだ。早大で中野正剛の影響を受け、卒業後は山西省の日本が開発していた大同炭鉱へ。ここで「ミス炭鉱」だった夫人を射止めた。その方法たるや、ひと晩かかって50枚のラブレターを書き上げたが、渡すのが面倒になって、いきなり彼女の両親に会いに行って談判した。なるほど、もとは移民の稚内人。スケールは大きく、人の考えつかないことを、当たって砕けろとやり遂げるのが常識なのか。

戦後引き揚げてくるとコンブ取りをしながら政治の世界へ、池田内閣で運輸大臣を務めた松浦周太郎の応援演説を行ったのがその始まり。本来は保守系政治家なので、当時なら松浦の民政党から出るはずだったのに、公認が取れなかったからと社会党から出て道議に当選と、振り幅が無軌道すぎる。市長になってからも、当初は社会党所属で革新市長だったが、後に離党して無所属に。「八方美人」と悪口をいわれることもあったが、概ね支持は高かった。

この浜森市政の時にできたのが、市のシンボルになっている氷雪の門だ。浜森が２期目の１９６３年に樺太出身の材木王・木原豊治郎に半額を出させて、残りは一般から寄付を募ってつくったもの。市費は使わないと大見得をきって建てたものだから、最後は製作者の本郷新に泣きついて金額を負けてもらったというシロモノ。にもかかわらず、届いた時には「スコップの手ができてがっかりとした」という。ところが、視察した佐藤栄作（当時、北海道開発庁長官）が褒めたものだから「あれは本郷新の名作のひとつ」と言いだしたとか。

いかんせん稚内は有名人が少ない。そう思って資料を探してみたら、こうした逸話がぼろぼろ見つかった。しかし、こうした無軌道な人々のエピソードこそが、実のところ稚内人の気性を的確に表現しているのではないかと思う。

ただ、稚内人の驚嘆すべきところは無軌道に見えて堅実なこと。稚内市に金融機関といえば稚内信用金庫が代表格だが、小さな都市の信用金庫ながら自己資本率はどんなに少なくても50パーセントを割ることのない全国最高レベルの金融機関である。預金の運用も国債など安定性を重視しており堅実なことこの上ない。一見、ちゃらんぽらんに見えても根はしっかりしている気性は人付き合いにもあらわれているのか、転勤で稚内に来た人にはまた舞い戻ってくる者も多いという。

稚内はともかく人が歩いていない。しかしたまに人を見かけると、妙に色白な人が多いような気が。最北の地の天候の影響か

比較的クールな性格の人が多いといわれる稚内。思い切りは良いが根は堅実な稚内人だけに、初対面の相手は冷静に観察するのか

北の首都を目指した旭川の市民に
その誇りは今も健在

旭川の神となった永山武四郎

人口約34万人を抱える北海道第二の都市だけあって、旭川はけっこう栄えている。函館本線、宗谷本線、富良野線、石北本線が乗り入れる駅舎は中核都市の名に恥じないほど立派なつくりで、駅から直結のイオンモールが併設されている。そこから伸びる平和通買物公園は、買い物客や学生、スーツ姿の社会人など、あらゆる人種でにぎわっていた。近年は旭山動物園などが人気を呼んでいるが、この平和通こそ旭川の中心であり、街の歴史を体現する旭川人の誇りといっていい。

平和通買物公園は、１９７２年に誕生した日本初の恒久的な歩行者天国で、

「旭川冬まつり」や「旭川夏まつり」が開催されるメインストリート。ここが平和通と改称される以前は「師団通」と呼ばれていた。ご存知の通り、北鎮部隊とも呼ばれた第七師団の駐屯地まで続く道だったからで、現在は陸上自衛隊北部方面隊第2師団が置かれている。近年は『ゴールデンカムイ』のヒットによって、若者にも知られるようになったが、この第七師団と旭川という街の成り立ちは切っても切り離せない。

そもそも旭川が街として整備されたのは、のちに北海道庁長官となる岩村通俊と永山武四郎が、現在は国道39号が走る永山地区に屯田兵村をつくったことによる。ここに屯田兵村をつくったのは、当時原野ばかりだった上川盆地には広い土地があり、開墾に向いていると判断されたからだ。岩村は上川盆地を見るや否や「上川は北の都にふさわしい」と考えた。ここに「北の京都」を作ろうと考えたのである。

当時、岩村と永山は、北海道開拓の中核機関である殖民局を上川に設置するべしという建議書を2度にわたって政府に提出していた。この構想は官僚の反対によって頓挫するが、代わりに上川離宮を設置することが閣議決定された。

離宮予定地に認定されたことで、上川周辺は一気に開発が進んだ。1890年には旭川、永山、神居の3村が開村。1900年代になると、鉄道の敷設や第七師団の設置などによって、現在の旭川市の基礎が築かれたのだ。

だが、この離宮計画も結局頓挫する。というのも札幌人から強い反対を受けたからだ。仮に離宮ができていれば、道庁がある札幌が政治の中心地、離宮がある旭川は「天皇がいる街」として、まったく異なる発展をしていたかもしれない。その後、永山武四郎は第七師団の初代団長となり、旭川発展に尽力。こうして旭川は離宮のある街ではなく、軍都として発展していくことになる。ちなみに永山武四郎は、永山地区の名称の由来であり、現在は永山神社の祭神として合祀されている。永山武四郎は旭川が誇る神様なのだ。

ハングリー精神は旺盛だけど隠ぺい体質が玉にキズ

こうした歴史的背景から旭川人は、札幌に対する対抗意識を抱いていると考えられる。街で聞いてみても「札幌に勝てるわけがない」と一笑に付されるのが関の山だし、根に持つことを嫌う道民気質だから、札幌への対抗心なんて残っているはずもない。だが、気質というのは地層のようなもので、世代を重ねるごとに恨みつらみといった感情的なしこりが奥深くに埋没していく。実際、ユダヤ人のDNAを調査すると、迫害や虐殺にあった年代が特定できるという。つまり遺伝子レベルで記憶されているので、日頃は意識していなくても、ちょっとしたことで埋没されていた意識が表に出てくることがあるのだ。

だからこそ旭川人は、「札幌のベッドタウン」と呼ばれることにいささかの抵抗がある。「第二の都市」というのは甘んじて受け入れても、どうもベッドタウンという響きは好きではないらしい。この辺も根底にある札幌への対抗意識のあらわれだろう。

旭川出身の有名人を見ても、けっこうハングリー精神にあふれた人物が多い。象徴的なのは作家の三浦綾子だろう。敗戦にめげることなく、結核やガンなどを患いながらも生涯を通じて執筆活動を続け、数々のベストセラーを発表した。その三浦綾子の記念館設置に尽力した五十嵐広三も旭川人を象徴する人物である。1963年に旭川市長となり、平和通買物公園を開設したり、旭山動物園を開業したりした。一九九三年に発足した細川内閣では建設大臣として入閣。村山内閣では内閣官房長官まで務めた。

他にもアイヌ支援や女性のためのアジア平和国民基金設立など、五十嵐の政治活動は多岐に渡り、人権派としても知られている。ただ、その一方で、五十嵐には悪評もある。自身が北海道知事選に立候補した際『北方ジャーナル』に中傷記事が掲載されそうになると、差し止めを求めて裁判沙汰にもなっている。いわゆる検閲ではないかと批判もされた。まあ、その記事はあまりに品性下劣だったたし、最高裁でも差し止めが認められたわけだが、都合の悪いことにフタをしようとしたのは事実だ。「師団通」を「平和通」と真逆の意味に変えたのも、そうした意識のあらわれのように思える。

五十嵐の影響かどうかはさることながら、教育委員会のいじめ隠ぺい問題も起きたし、旭川人はハングリーだけど、どこか隠ぺい体質な一面があるのかもしれない。それもすべて、過去に見た夢とその挫折が影響しているとすれば、旭川という土地はなかなか因果な場所というべきだろう。まあ、当の旭川人はそんなこと、かけらも意識していないのだろうが。

旭川の中心街はかなり発展していて、歩いている人も多い。北海道は車社会だが、数少ない駅中心の市街地を形成している

表に出すことは少ないが、旭川人の札幌への対抗心は強め。ハングリー精神は強く、輩出する著名人などはけっこう活動的だったりする

素直すぎて周囲と衝突！
十勝人の生真面目気質

質実剛健という表現がピッタリハマる人たち

道民に共通する気質として「自由でおおらか」や「進取だが飽きっぽい」を挙げてきたが、この共通項にあまり当てはまらないのが十勝人である。帯広の聞き込み調査を要約すると、「おしなべておおらかだけど、比較的規律に厳しく、集団行動を大事にする」ということになる。

そもそも、十勝の中心地である帯広は実に朴訥としている。札幌や釧路のような大きな繁華街はなく、風俗店らしきいかがわしい店はほとんど見当たらない（キャバクラは少しあったが数えるほどだ）。駅から降りると目に入る商業施設は長崎屋だけで、あとは大きな公的施設が立ち並ぶ官庁街の様相を呈している。駅からすぐに商店街へとつながる旭川とはまったく異なる街並みだった。食べ物ひとつとっても、帯広は飾り気がない。北海道といえばスープカレーの本場だが、帯広でカレーといえばインデアンのカレーである。見た目はスープカレーほどのインパクトはなく、シンプルな定番カレーだ。味はバツグンで、豚丼と並ぶソウルフードとして帯広人に深く愛されている。こうしたソウルフードひとつとっても、大正時代の道民気質で「質実剛健」という言葉を今も受け継いでいるのは、帯広を始めとした十勝人のことではなかろうか。

十勝気質を育んだ開拓時代の厳しいルール

こうした気質の醸成には、十勝平野の開拓の歴史が深く関係している。江戸時代、十勝平野は「トカチ場所」と呼ばれ、松前藩の商人とアイヌが交易をしていた。シカ狩りが有名で、毛皮やツノなどが主な交易品で、明治初頭に多くの和人が移住してきた。

その中のひとりだった山梨県出身の武田菊平が、シカの交易をするかたわら十勝平野で農業経営を開始。6000坪の畑を開いて、内陸農業を花開かせた。北海道では政策の一環として、開拓者に土地の貸し付け事業を行っていたが、十勝地方では武田菊平のように無許可で開拓をする無願開拓者が多かった。池田町利別や幕別町相川、帯広市北、広尾町などはこうした無願開拓者によって基礎が築かれた。そのため、北海道庁による貸し付けは、他の地域よりも遅くなり、貸し付けが開始した1896年にはすでに十勝地方全体で356戸、1364人の開拓民がいたという。

こうした開拓民は個人で農場を開くこともあったが、その多くは団体で入植してきた。たとえば池田町には福井県からの集団、音更町には岐阜県や富山県の集団、大樹町には愛知県の集団が入った。なかでも大規模農場だった池田農場や高島農場では、福井県、鳥取県、石川県、富山県といった北陸からの移民集団を小作人として農場を開いた。

このように全国各地からの移民が集合するので、生活習慣の違いなどから移民同士による争いが絶えなかったそうだ。そこで、各農場では独自のルールを設けて、小作農たちに守らせていたのだが、そのルールがけっこう細かくて厳しい。酒はダメ、サボりもダメ、副業もダメ、親族以外での金銭の貸し借りもダメ、遊びのためにみんなで集まったらダメ、祝祭日以外で他人の家にあがってもダメ……などなど。これだけ厳しいルールを課されながら小作農の努力によって、現在の農業王国・十勝が生まれたのだ。

しかも小作農たちは、入植当初は貧しい小屋での生活を強いられることもあったというから、その忍耐力たるやとてつもない。

生真面目だから冗談は通用しない！　マジギレには要注意

こうした歴史的背景から、十勝人は札幌人や旭川人などとは一線を画す生真面目な気質が育まれていったのだ。風俗の類がほとんどないのも、十勝人にとっては「遊興＝悪」という意識が根づいているからだと思う。帯広駅前にはパチンコ屋も全然ないし。

そんな気質だから、ある帯広在住の男性によれば、「十勝人は中途半端が嫌いで、何事も全力で貫徹する傾向がある」らしい。それは高倉健ばりの硬派なイメージである。

十勝人はとにかく生真面目なので、冗談や軽口は通用しづらい。素直なので言葉の意味をそのまま受け取ってしまうのだ。軽いノリでちょっといじったりすると、予想以上にショックを受けたり、時に激高することもある。逆にオブラートに包んで物事を話すこともできないので、「十勝人は態度がデカい」なとどと思われる弱点もある。典型的な人物が、足寄町出身の松山千春だろう。吉田拓郎や長渕剛、吉田美和など、松山千春の有名人とのケンカエピソードは枚挙に暇がない。そういえば、鈴木宗男も足寄町出身だし、国会ではしょっちゅう顔を真っ赤にして怒っていたことを思い出す。公民権をはく奪されても議員として復活するあたり、先の男性が話していたように「中途半端が嫌いで、何事も全力で貫徹する」十勝人のイメージにピッタリだ。なんでも生真面目に、かつ直線的に取り組んでしまうから、周囲との衝突も起こるのだろう。

こうした気性の十勝人と付き合うには、あくまで誠心誠意が基本。あんまり調子に乗って冗談をいうと痛い目にあうかもしれない。

道民気質として語られる「質実剛健」を感じられるのが十勝人。とにかく真面目で、唯一と言ってもいい娯楽は、ばんえい競馬ぐらい

十勝人は、その性格のせいか見た目も質素。ただ、金を持ってないわけではなくて、けっこうな資産家も多い

同じ道民から評価が低い釧路人　実は誤解されているだけ!?

悪評がつきまとう道内屈指の漁師町

なぜか釧路人は評判がよろしくない。釧路に訪れる前日、帯広人と釧路の話題になったのだが、「ぶっきらぼうで愛想がない」とか「気性が荒い」と散々な評判であった。最終的にその帯広人は「まあ、悪い人じゃないんだけどねぇ」と苦笑いを浮かべていた。たぶん自分でも言いすぎたと思ったのだろう。おそらく冒頭の悪評こそが彼の本音である。あくまで個人的な感想という可能性もあるが、ネット検索してみても目に付くのは悪評ばかり。中には「釧路は死の町」なんていう表現もあったりして、北海道の他の地域ではあまり見られないような叩かれっぷりである。取材前に変な先入観を抱くのはご法度だが、なぜそうまでして釧路や釧路人に悪評が付きまとうのかについて検証が必要であることは明白だった。

まず考えられるのは漁師町という点だ。言わずもがな釧路は全国有数の漁場として知られている。江戸時代から昆布やサケ漁が行われ、明治期には鰊やマグロ漁、昭和初期にはマイワシの水揚げでにぎわった。戦後はサンマやサバなども水揚げされるようにもなり、日本一の漁港の名を欲しいままにした時代もある。釧路の漁業が発展したのは、釧路沖が世界三大漁場と呼ばれるほどの良質な漁場だったからだ。そのため、昭和初期から戦前にかけて、全国から出稼ぎ漁業者が押し寄せた。

たとえば、釧路名産のマイワシ漁は、千葉の漁業者が漁法を持ち込んだものだ。筆者は千葉県の房総半島生まれで、幼い頃から漁師町にはなじみが深い。千葉と聞いてピンと来たのが銚子である。今や全国一の水揚げ量を誇る日本最大級の漁師町だが、銚子人は気性が荒いの何のって。漁港で写真を撮ってるだけで怒鳴られたこともあるし、銚子のヤンキーはとにかくケンカっ早いことで地元では有名だ。そんな土地柄ゆえに、アピールしようとする姿勢がなく、県内でも煙たがれる存在だったりする。というわけで、銚子は日本最大の漁港を抱えながらも観光をはじめとしたサービス業は壊滅的。ホテルは軒並み潰れて、商店街はシャッターだらけ。財政赤字がかさんで、街から脱出する人が続出する始末である。まさしく「死の町」の様相を呈している。

釧路の街を歩いていて、まさに銚子と同じような雰囲気を感じた。駅前は閑散としていて、もう何年も開けていないであろうシャッター店舗もちらほら見かける。何よりも道東最大の歓楽街と呼ばれる末広町のど真ん中にドデカい廃墟「ｋｕｉｅ」（旧丸三鶴屋新館）が放置されているぐらいだから、衰退の道を辿っているのは間違いない。まあ、それでも銚子に比べればまだマシだし、さすがに「死の町」はいいすぎだとは思うが、真っ先に商店街が壊滅するのは、漁師町にありがちな傾向であると言えよう。

ぶっきらぼうだけど本当はけっこう親しみやすい

だが、筆者は釧路を取材してみて、周囲がそこまで言うほど釧路人に悪い印象を抱かなかった。確かに街が衰退しているのは事実だし、ときどきガラの悪い人を見かけることもある。しかし、居酒屋では地元民が気さくに話しかけてくれたし、メシ屋のおじちゃんやおばちゃんもぶっきらぼうではあったが、特に冷たいと感じることはなかった。

千葉県の沿岸部出身の筆者が知る漁師町はもっと排他的で、あからさまにヨソ者に対する嫌悪感を表に出す人が多い。それに比べれば、釧路人はよほど温かみがある。もしかしたら筆者が漁師町に慣れているせいもあるのかもしれないが、少なくとも陰険さは感じられなかった。もちろん暮らしてみると、そういった一面を感じることもあるかもしれない。だが、それは気質というよりも個人差によるものではないだろうか。

ただ、他の道民からすると、何だか別の人種みたいでとっつきづらいというのもよくわかる。特に帯広をはじめとする内陸の十勝人は、団結と努力でコツコツと開墾してきた忍耐の人である。翻って釧路の漁師は、出稼ぎ漁業者などから新しい漁法をどんどん取り入れて、一攫千金を狙ってきた。いわば農民とは正反対のギャンブラー気質である。そもそも農民と漁師は水と油で、他県では内戦状態になる場合もある（今は表面的には収まっているが、歴史的なわだかまりは相変わらず残っているケースは多い）。それに比べれば「悪い人じゃない」と譲歩できるだけ、まだ北海道の農家と漁師はうまく付き合っているほうじゃなかろうか。

北海道の各都市がいがみ合うことがないのは、地理的に距離が離れていて干渉し合うことがないという点も大きく関連しているだろうが、やはり根っこの部分で開拓民の精神が息づいているからだと思う。それぞれ生活環境などの違いから、表層の部分では異なる側面も少なくない。だが、どこへ行っても打ち解ければ人懐っこく、おおらかな性格が顔を出す。この辺に道民としての共通項が垣間見える。

ここからは筆者の推測だが、多くの悪評を垂れ流しているのは近年の移住者たちや出張・転勤族によるものではないだろうか。釧路人はそのガラの悪さとぶっきらぼうな態度から「排他的」とか「冷たい」と誤解されやすい。漁師町の特性を知らないならなおさらだ。個人的には釧路人が一番親しみやすかったことも付け加えておきたい。

釧路人の評価が低いのは漁師町ゆえのぶっきらぼうな気質のせいかも。愛想は悪いけど、打ち解けると意外と人懐っこいんだけどね

釧路人は商売下手なのか市街地の空洞化が著しい。もうちょっと水産資源を活用して、対外的なイメージを上げたほうがいいかも

オホーツク沿岸地域の人たちに残る強烈な地元へのプライド

アイヌと北方領土に強く執着する根室人

根室は釧路と合わせて「釧根エリア」と呼ばれることもあるが、本書では気質の検証にフォーカスしているため、あえてオホーツク沿岸部として取り扱うことにした。古代にはオホーツク文化が栄え、網走のモヨロ人を筆頭に北海道に最初の人類が住み着いたのがこの地域である。とはいえ、さすがに現代人が6〜9世紀のモヨロ人から影響を受けていると論じるのは無理がある。ただ、オホーツク沿岸という地理的条件はそれぞれの地域に少なからず影響を与えている。

太平洋にも面していながら、オホーツクという土地柄を強く感じさせるのが根室である。周知の通り、日本最東端の地であり、名産の花咲ガニはオホーツク海ならではの味覚である。何よりも北方領土にもっとも近いために、街中に「返還」を訴えるノボリや看板が立っている。誇張ではなく、５００メートルおきぐらいに設置されており、住民の本気度をヒシヒシと感じる。何せ市役所には「島を返せ」という直接的すぎる表現の旗が日本国旗の下にたなびているぐらいだ。「小学校のころからイヤっていうほど習う」そうで、北方領土問題は根室人の意識に根づいている。ちなみに、根室では「四島」と書いて「シマ」と読む。根室人にとっては常識だが、念のため記しておきたい。

なぜ根室人が北方領土にこだわるかといえば、根室人にとって郷里の土地だからに他ならない。江戸時代には四島に住むアイヌが松前藩を相手にラッコの毛皮などを交易していた記録が残されている。もともとはアイヌの土地であったが、１７０１年に松前藩が霧多布に商場を開くと、四島や根室地域は飛騨屋久兵衛に開発された。根室が漁師町となる歴史的な第一歩ではあったが、その一方でアイヌは過酷な労働を強いられ、理由もなく殺害されるなど、非道な仕打ちを受けた。こうした虐待に耐えかねたアイヌの若いリーダーたちが武装蜂起をして、飛騨屋の家人や松前藩の和人を次々と殺害。この武装蜂起を鎮圧するために、松前藩は軍隊を派遣したが、武力衝突には至らなかった。というのも、アイヌの有力な首長が松前藩に取り入ったからだ。結局、ノッカマップにいた若手リーダー39名は殺害されたものの、アイヌが根絶やしにされることもなかったという。このように根室ではアイヌとのかかわりが深く、アイヌの砦であるチャシが市内には32カ所も現存。根室の歴史遺産として、今でもアイヌ文化を尊重している。

この事件を記した墓碑が納沙布岬に残されているが、これは和人が設置したもので、裏には「アイヌの蜂起によって和人が殺された」としか書かれていない。だが、そこにあえて「本当は和人によるアイヌの虐殺があったため」という主旨の一文が添えられている。これも根室人がアイヌを尊重している証のひとつだろう。だからこそ、かつてアイヌが暮らし、第二次世界大戦に至るまで根室人が暮らした北方領土には、ひと際強い執着心があるのかもしれない。

網走人が快く思わなかった北見市の誕生

北方領土返還の看板などは道内の各所で見られるものの、どこも根室ほどではなく、北見や網走まで車を走らせると、そうした看板はほとんど見かけなくなり、アイヌ色も薄まっていく。特に網走は、街全体が網走刑務所推しである。高倉健主演の『網走番外地』が網走人の最大のプライドだ。よく考えるとヤクザと刑務所がプライドなんてヘンな話だ。

たとえば、道の駅「流氷街道網走」には、デカデカと網走番外地のポスターが貼り出されてるし、網走監獄には監督である石井輝夫の墓碑まで建立されている。高倉健は道民全体の憧れだが、網走人にとっては石井輝夫も最重要人物である。地元の名士は、石井輝夫のことを網走の知名度をアップさせた恩人とさえ評している。いくら映画のロケ地として知名度がアップしたからといって、公開から50年近く経った今でも、ここまで激推しするのはすごい。

実際の網走は、刑務所の街というよりも、大学があったり結構地場産業が育っていたりと、かなり平和で安定した雰囲気があるというのにだ。

この執着心の根っこには、北見との因縁も関係しているのかもしれない。もともと北見という地名の由来は、明治時代に宗谷、斜里、利尻、礼文、枝幸、紋別、常呂、網走の八郡を「北見国」と呼んだからである。国名としてのブランドがあったのだ。その後、北見という地名は、現在の網走市の中心市街地の呼称となったが、１９２６年の大字廃止によって網走から北見という地名が消滅した。ところが、１９４２年に野付牛町が市制へと移行する際、北見市に改称するという案が上がったとたん、網走では異論が噴出。そりゃあもともと網走は「北見国」の一部だったわけだし、その中心地はウチだという思いもあったのだろう。まるで野付牛町が周辺の盟主のような意味合いを持ちかねないと危惧したのかもしれない。

網走人の見方はあながち間違っていなかった。現在、北見市は人口12万人、対する網走市は約3万人と街の規模は圧倒的に北見市の方が上。まさに中心地として取って代わられたのである。網走人からしてみれば面白くはないだろう。

このように、オホーツク沿岸部でも、住民たちがよりどころにするプライドの差によって人種が異なっているのだ。

オホーツク沿岸部の都市でよく見かけたのがチャリ。積雪量が少ないため、他の道民に比べて外出に抵抗がないのかも

網走人を始めとして、親しみやすい気質の人が多い。ただ、ちょっとユルユルすぎて抜けていることも少なくない

道民の常識は非常識!? 他県民に伝わらない暗黙ルール

一般道民はルールを守る常識人!

道民は真面目である。時に自由が度を越してしまい、逸脱してしまう者もいるが、多くの道民は至って常識的でルールをよく守る。たとえば、コロナ禍の緊急事態宣言下で訪れた際、繁華街の飲み屋は、ほとんどが店を閉めていた(すすきのだけは例外だったけどね)。某グルメ系ドラマで有名な旭川の名店だったり、釧路の有名なつぶ焼き屋だったり、休業要請ではないはずなのに、軒並み営業していなかった。釧路・末広町のキャバクラやスナックは、1軒をのぞいて全部閉店。無料紹介所のお兄さんは「今日はどこも開いてませんっていうためだけに来たようなもんです」と苦笑いしていた。まあ、20時以降の酒類の提供が禁止されているのだから、当然の判断だと道民は思うだろうが、東京あたりでは要請を無視して営業し、ボロ儲けする店も少なくなかった。

さらに困ったのは道の駅。何もない平野のロングドライブにおいて、道の駅は貴重な休憩どころなわけだが、食堂などはまったく開いておらず、おそらく筆者と同じ目的で訪れていただろうスーツ姿の男性たちも「ここも開いてないよー、困ったなぁ」と嘆いていた。緊急事態宣言下にあって、徹底した団結ぶりだと感心したものだ。

道民は常識がズレていることを承知済み⁉

しかし、常識やルールをよく守るがために、内地の人から誤解されることが多い。というのも、北海道での常識やルールが内地のイメージとはズレていることがあるからだ。よく言われるのは、「電車のことを汽車と呼ぶ」や「冬は玄関で食材や飲み物を冷蔵保存する」などである。前者には諸説があるが、中でも有力なのは、かつて北海道では汽車しか走っていなかったため、今でも線路を走る列車を汽車と呼んでいるという説だ。ちなみに札幌市内を走る路面電車のことは、「電車」と呼ぶのがスタンダードらしい。もしかしたら一般的な電車を「汽車」、路面電車を「電車」と呼び分けているのかもしれない。実際、この常識を道民に尋ねてみると、「まあ、JRのことは汽車って呼ぶ人が多いね」と話す人が多かった。

また、後者の「冬は玄関で食材や飲み物を冷蔵保存する」も、巷で言われているように当たり前の常識のようだ。アパート暮らしの若い世代でも、箱買いした缶ビールなどは玄関脇で冷やしておくそうだ。野菜を雪中に埋めておくというのもよく聞く話だ。

ただ、こうした北海道の常識が内地とズレていることは、道民もよく知っている。近年は県民性の違いをテレビなどで放送されることもあるので、道民も「内地では違うんだ」と思い知らされているからだ。前者の汽車呼びルールなんて、こちらが尋ねる前に道民から話してくれることも多かった。

暗黙すぎて伝わらない道民の「追い越しルール」

だが、本書で取り上げるなら、誰もが「内地とのズレ」を認識している道民ルールなど取り上げても面白くない。というわけで、筆者としては道民も思いもよらなかった独自ルールを探しながら取材を続けていた。ただ、「独自ルールってありますか？」って聞いたところで、生粋の道民が答えられるはずがない。なぜなら日々の暮らしで「当たり前」だと感じていることだからだ。ゆえに著者は道民をじっくり観察してみた。

そこで、筆者が強く感じたズレは「道路での追い越しルール」である。そもそも一般道での追い越しは、危険なため禁止されていることが多いが、北海道の道路は超ロングストレートが多く、急いでいる車の追い越しは暗黙の了解として許されることが多い。たとえば、田舎のロングストレートで、自分より速い車が後続に来ると、前の車はハザードランプをつけて速度を落とし、左によけるケースをよく見かけた。そのタイミングたるや、もはや阿吽の呼吸である。筆者も左に寄せられたことがあるのだが、最初は何のことかわからず、自分もスピードを落としてしまった。だが、筆者のさらに後ろの車が追い越しをしたので、ようやく合点がいった。道民同士では、「追い越しさせてあげる」というルールがあることを知った。

ただ、その一方で、まったく左に寄らない車もある。そんなとき、先を急ぎたい道民はどうするか。実感としては「無理やり追い越す」が半分、「そのまま我慢強く待つ」が半分といったところか。だが、1台が勇気を出して追い越し始めると、他の後続車もぐいぐいと追い越していくこともある。

では前方に何台まであったら追い越しするのか。筆者の体験上、最高で4台分を追い越していった車を見た。おそらくかなり荒いドライバーだったに違いない。判断があと30秒遅かったら、正面衝突の危険性もあったしね。ただ、そんなときは後続車の追い越ししたいサインを察するべきだ。よくギリギリまでセンターラインに寄る後続車がいる。これは対向車がいるかどうかを確認し、いないのであれば追い越したいという意思表示でもある。暗黙すぎて、ヨソには絶対に伝わらないルールである。もしかしたら札幌あたりの移住者は知らないかもしれない。だって、基本的に田舎道でのルールだから。

一風変わった北海道の常識
余り物は屋外で保存
買い物にお供はソリ
きびだんごは四角
距離感覚が広大すぎる
玄関は二重でしょ
節分はピーナッツ
暖房がきいているのでこたつには興味がない
暖房は外付けタンクの灯油で
つららで勝負
電車とは呼ばずに今も「汽車」
百人一首は木
冬でもアイスは手放せない
盆踊りは大人と子供の二部制
ママさんダンプはマスト
道ばたの砂箱は常識
雪だるまってなに
冬の朝は除雪の音でうるさい

※各種資料により作成

道民がなぜか自慢げに語る積雪アイデンティティ

東京での積雪ニュースを鼻であしらう道民

だいたい冬になると、道民は東京などの都市に対して、ちょっとした優越感を覚える。「東京で10センチの積雪！　都心の交通網は大混乱」なんていうニュースが流れると、道民は「こっちはすでに2メートルですけど」と、せせら笑いを浮かべるのである。東京在住の札幌出身者からしてみれば、「なぜこんなにも雪に弱いのか」ということに納得できないらしい。何度居酒屋でくどくどと能弁を垂れられたことか。そりゃあ北海道は雪が降っている期間のほうが長いんだから交通インフラも雪国仕様になっていて当然だろうにと反論したこともある。そうすると、道民は「ま、そうなんだけど」とちょっとすかした笑みを浮かべる。どうも道民は、雪に強いことに対して多かれ少なかれアイデンティティを感じているようだ。

この「積雪アイデンティティ」と呼ぶべきプライドは、おもに他県民（東京がほどんど）に向けられるものだと思っていたが、実は道内でも雪が降る・降らないの話題で花を咲かせるようだ。筆者が各地の道民とチャットルームで会話した際、稚内人が「明日、ドカ雪らしい！」と言えば、苫小牧人は「こっちは全然降らないね」などと、お互いの降雪量の差を報告し合っていた。その会話に他の道民も乗ってきて、「どこどこはよく降る」とか「こっちは降らないから、○○の苦労はよくわからないかも」などとトークが盛り上がるのだ。まあ、雪が日常なのだから当然っちゃ当然なんだけど、なんかヘンだ。

北海道各地の雪事情は大きく異なる

そんな積雪アイデンティティを調査するために、まず全国における大雪と感じるラインを調べてみたい。ウェザーニュースが「あなたにとって大雪ってどのくらい?」という調査を実施。「0(少しでも積もっていたら)」「5センチ積もったら」以下5センチごとに100センチまでの選択式で行った。

そこで得られた調査によれば、全国平均は「20・6センチ」。選択肢別に見ると、1位が「10センチ」(23パーセント)、2位が「30センチ」(19パーセント)であった。やはり10センチ程度で「大雪」だと感じるのが一般的らしい。だが、道民にとっちゃ10センチなんて屁のカッパである。

そこで、この調査を都道府県別に見ると、1位は新潟県で48・3センチ。次いで2位福井県47・2センチ、3位富山県46・4センチと続く。北陸地方では100センチ積もらなければ大雪とはいえないなんていう地域もあるそうだ。一方の北海道は意外にも32・6センチの10位だった。

北海道の大雪の基準が低くなっているのは、地域別に降雪量や積雪量が異なるからだ。北陸地方はそもそも県域が狭く、冬になるとどこもかしこも豪雪地帯である。一方、北海道では基本的に太平洋側は雪が少なく、日本海・オホーツク海側が多いという傾向がある。市町村別の降雪量では、最多の幌加内町が1338センチ、最低の苫小牧市は140センチとその差は歴然である。基本的に雪の量は西高東低である。北海道は雪深いというイメージを抱かれがちだが、地域によっては北陸よりも雪の量が少ないこともあるのだ。

ちなみに、北海道名物のドカ雪（1日で降った雪の量）の記録ランキングで見ると、意外にも道東の帯広市が１９７０年の3月16日に記録した１０２センチがトップ。次いで１９８６年1月10日の広尾町96センチ、２０１３年1月26日の音威子府村95センチと続く。帯広市をはじめとする十勝平野は、湿った空気によって雪が降りづらい地域ではあるが、平均気温が低いために降った雪が溶けない。そのため、基本的には降雪量が低く、積雪深が高いという傾向があるが、2～3月に大型の低気圧による被害を受けることが多く、１９７０年代にとんでもないドカ雪を何度も記録している。たとえば、１９７５年3月21日の雪では、交通機関をはじめ送電線の切断、家屋の倒壊、ビニールハウスの損傷などが相次ぎ、市内だけで6億８０００万円もの被害が生じた。どんなに雪に強くても1日に１００センチ近くも降ると、さすがに機能不全を起こす。仮に東京で降ったりしたら都市機能の不全どころでは済まないだろうが。

地元愛が「積雪アイデンティティ」の生みの親？

また興味深いのは、各地の降雪の差を、道民があまり認識していないという点だ。基本的に西高東低であることぐらいは基礎知識としてわかっているが、十勝平野でドカ雪が起こりやすいというのは周辺住民ぐらいしか知らない。というのも、雪が降る期間は地域間であまり移動できないし、ニュースで見ることはあっても、むしろ気にするのは自分の生活圏での降雪量である。だからこそ各地の道民が一堂に会すると「積雪アイデンティティ」の話題になり、お互いに「へー」と情報を交わすのだろう。その際、面白いのが雪が多いからスゴイのではなく、それぞれ「雪が多い」「雪が少ない」という特徴をやや自慢げに語る点だ。そこで感じられるのは、各地の道民による深い地元愛ではないだろうか。道民にとって地元は愛するもの。雪が多くても少なくても、その特徴すべてを受け入れて、地元愛を形成している。つまるところ「積雪アイデンティティ」は深い地元愛の産物だと、筆者は思っている。

道内の豪雪地帯と雪の少ないエリア

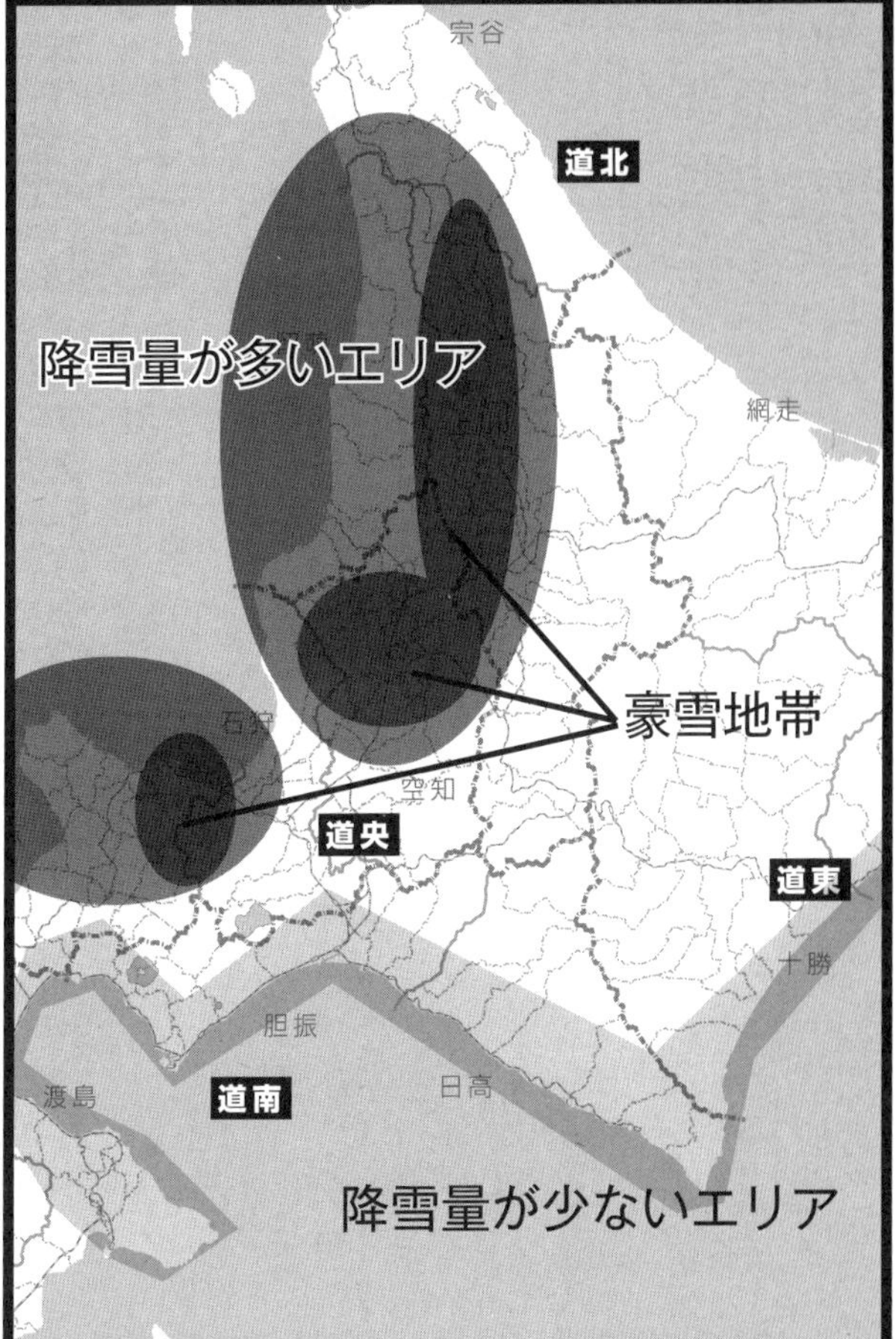

北海道に方言はないというのが道民意識

道南の人の言葉がわからない

北海道には確かに方言が存在しているが、道民にはあまり方言を使っているという意識はないし、全国的にもあまり知られていなかった。北海道方言が全国的になったのは、2018年の平昌オリンピックでカーリング女子日本代表の選手達が「そだねー」「押さささる」を多用してからだろう。

一般に北海道の方言は、開拓期の移住者に東北地方の人が多かったことから、東北方言の影響が強く、それに他地域からの影響が混ざっているといわれる。地域的には、渡島半島でなまりが強く、道北・道東のほうは比較的共通語化しているといわれる。これはもともと和人が住んでいたのが渡島半島であり、海峡を越えて津軽と交流が深かったことが原因だろう。また、北前船を用いた流通の結果、上方方言の影響もあるという。対して、道北・道東は明治以降に各地から移民が集まり、意思疎通のために共通語化が進んだというわけだ。

ただ、これはあくまで概念上のことである。なにしろ広い北海道だ。各地域において話される言葉はかなり違う。おまけに、移民してきて新しい世代の言葉を受け継いでいる人々もいるので、特定の家庭内では通用する方言が隣の家にはわからないということもある。

こうした中で共通語化が著しく進んでいるのは、札幌や旭川などの内陸の都市部である。大都市圏で使われる方言といえば「なまら」などわずかなものである。この言葉が東京と遜色ないところに目を付けて各種のコールセンターが北海道に拠点を置いている例もみられる。

これに対して、港町には浜言葉と呼ばれる独特の方言を用いる地域が多い。しかしこれにも濃淡があって、室蘭や釧路では方言のインパクトはあまりない。やはり、強いのは道南だ。たとえば札幌では「そうだよね」が道南にいくと「んだ」「んだっけさ」となる。今回の取材で、完全にわからなかったのは「味噌汁こぼした」を「みそつゆまがしだ」という人がいることだ。もともと東北の方言は他の地方の人にはかなり難解なのだが、そこに様々な要素が混じっているために、注意して聞かないと日本語として聞き取ることができない。もっとも、メディアを通じてたいていの人は共通語を話すようになっているので、意思の疎通はできる。それでも異世界に来てしまったドキドキ感は拭えない。

意外に方言が多い道北・道東

ただし、道北・道東人が方言を使うことが少ないというのは、あくまで道民の認識だ。道央の札幌市周辺では本州との交流で方言が用いられることが少なくなっているために、余計にそう感じる。たとえば、十勝地域は方言の宝庫ともいえる。この地域は開拓後期に農地を求めて定住した人が多い。また、農業主体だったため人の流出入はほかの地域に比べて少ないまま、世代を経てきた。結果として北は東北、南は中国・四国地方までの広い範囲の方言が取り入れられ、そこにアイヌの言葉も混じって独特の方言が生まれている。言葉が通じない状況でも、意思疎通が必要だと判断されると、人はお互いに理解を進めようと努力し新たな言葉が開発される。これをピジン言語と呼ぶ。その中から発展して母語となったものはクレオール言語と呼ばれる。日本では英語やポリネシア諸語が混じった小笠原諸島で話される方言や、沖縄で日本語の需要が進んだ結果生まれたウチナーヤマトグチがこれにあたる。北海道の方言も方言と呼ぶよりは、新たな言語体系と呼んだほうがいいかもしれない。

こうした北海道方言の特徴は、話者が自分はそんなに方言を用いてないと認識していることに尽きる。１９７０年代に行われた調査では北海道の言葉を「標準語に近い」「方言が強い」「どちらともいえない」の選択肢で尋ねたところ、松前町弁天では全体の42パーセントが、同町唐津では32パーセントが標準語であると捉えていた。同じ質問を北海道の別地域で行うと、認識差がありありと見えてくる。増毛町で同じ質問をしたところ大別苅では60パーセント、畠中では72パーセントが標準語だと考えていた。ここからは、古くから和人の住んだ道南に対して、明治以降に移民が進んだ多くの地域では３世代を経るあたりで、自分たちは標準語を用いているという意識が強いことがみえる。この背景には、最初の世代が出身地域の違いによって意思疎通が困難だったのに対して、現在は十分に意思疎通ができるようになった経験がある。

さらに興味深いのは、標準語に対する意識だ。通例、内地の人間は標準語とは東京の人が話している言葉。それも江戸弁ではなく、明治以降に発展した山手言葉だと思っている。ところが、北海道では東京の人は方言が強く、札幌の人はきちんとした標準語を話しているという意識があるのだ。

１９７９年の調査では、松前町の唐津において、標準語だと思うのは東京の言葉が29パーセントに対して札幌の言葉が50パーセント。これまた増毛町で同じ質問をしたところ大別苅では東京が35パーセントに対して札幌44パーセント、畠中では東京35パーセント、札幌52パーセントとなっている。また同時期に札幌で調査したところ、東京47パーセント、札幌31パーセントになっている。

このように、北海道では内向きには自分たちが、あまり訛っていると信じず、よしんば訛っているとしても、札幌の人が話す言葉としてどうかという基準で考えていたのである。これまた、札幌を頂点として続いてきた北海道の歴史が生んだ現象であろう。

代表的な北海道の方言

用語	意味
いづい	「(都合・状態が)良くない」
うるかす	「水につけておく」「ふやかす」
かっちゃく	「引っかく」
こわい	疲れた
ごんぼほる	「意地を張る」
～さる	「～してしまう」
したっけ	「それから」
～しょや	「～でしょう」
ちょす	「からかう」「さわる」
ちょっきし(り)	「ちょうど」
つっぺ	「栓」
てんをきる	「シャッフルする」
なげる	「捨てる」
なまら	「とても」
なんも	「大丈夫」「OKOK」
ばくる	「交換する」
ひゃっこい(しゃっこい)	冷たい
ぼっこ	棒
よしかかる	「よりかかる」
わや	「めちゃくちゃ」

※各種資料により作成

北海道コラム 2

北海道の住宅は高性能で暖房費は安い？

夏はクーラーはいらないが、冬は暖房にえらいカネがかかると思われている北海道。でも、実際にはどうなのか？　総務省の「平成28年家計調査（二人以上の世帯）の結果」によれば２０１６年の光熱費は全国平均２万１１７７円に対して、北海道は２万５３３４円となっている。あれ、確かにちょっと高いのだけれども、思ったほどではない。

北海道では地域によるが例年10月から4月までは暖房が必要になる。年によってはゴールデンウィークになってもまだ寒い。ただ、北海道では家を冷やさないために寒い時期は暖房を付けっぱなしだというのに思った以上に暖房費は安いのだ。この理由のひとつが住宅環境が整っていることである。１９５０年頃まで北海道の家は今よりもずっと寒く、冬場は膨大な暖房費が必要だった。それは、住宅が本州と同じ仕様になっていたからである。本州の住宅のスタン

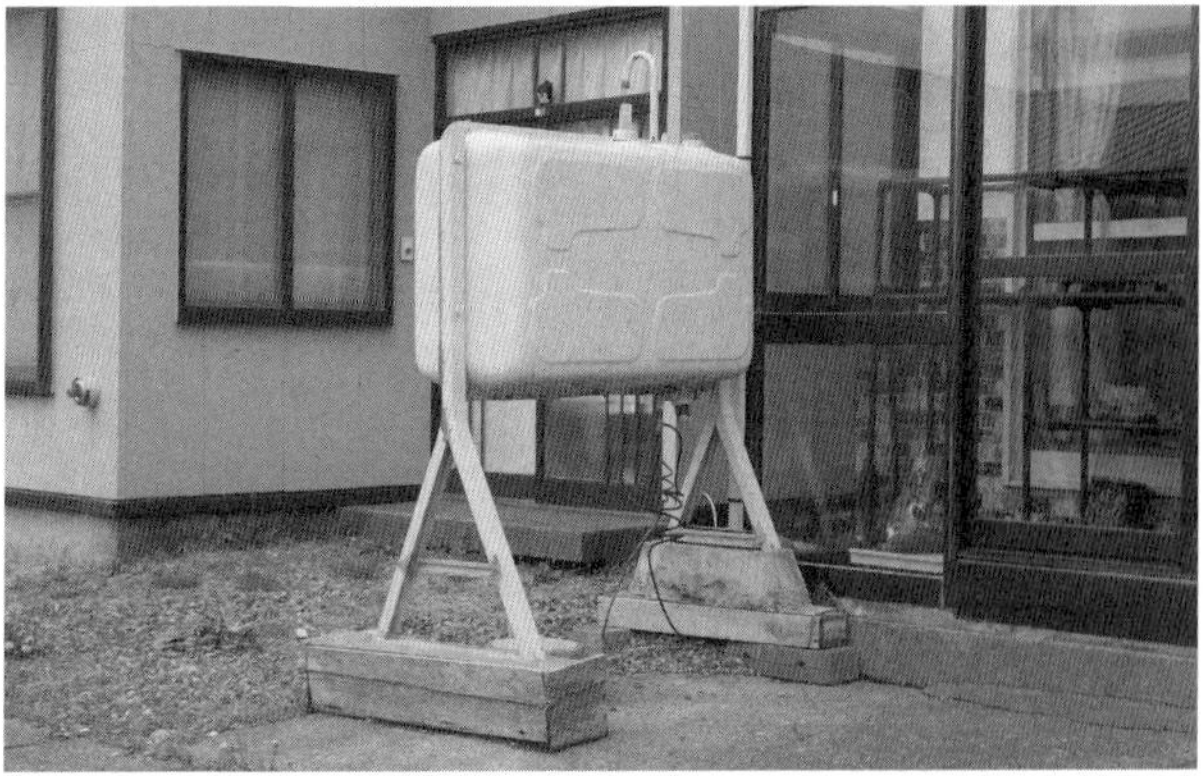

ダードは夏場の暑さや湿気対策を重視したもの。要は風通しをよくして部屋に冷気を取り入れやすくすることに重点を置いていた。そもそも断熱という概念は存在しない。こんな家を北海道で建てていたら、寒いに決まっている。……余談だが、夏の暑さ対策でエアコンが主流になった現代では本州でも風通し重視は時代遅れである。

初期の北海道で用いられた断熱住宅は木造住宅に、わらくずやおがくずを断熱材として用いたものだった。これは確かに断熱効果があったが、カビが生えるしネズミが住み着くしでまったく快適ではなかった。転機となったのは１９５３年に「北海道防寒住宅建設等促進法」である。これにより北海道立寒地建築研究所（現・北方建築総合研究所）が設立され、北海道に相応しい防寒住宅の研究が進む。ここで考案されたのが、道内に大量に存在するコンクリートブロックを用いた住宅であった。これは従来の住宅に比べて耐寒だけでなく防火性にも優れるとして公営住宅・公社住宅で多く用いられた。

より耐寒性が重視されるようになったのは、1973年のオイルショックで灯油の値段が高騰したことだった。これを契機として、新たな断熱材であるグラウウールの使用が本格化した。この使用方法も次第に進歩し厚みを持たせることで耐寒性のアップが図られた。今では常識のアルミの二重サッシ窓が用いられるようになったのも、70年代からである。

ただ、これは結露の問題を解決できず、床下にナミダタケが繁殖して床を腐らせるなど新たな問題も生じさせることとなったが、現在では断熱によって起こる問題は新たな工法や建材によってほぼ解決されるようになった。しかし、古い住宅は傷んでいる場合が多い。そのためか、北海道では中古住宅の需要は著しく低い。また、冬の寒さを知っているため、内地のように古民家暮らしに憧れる人は皆無である。

第3章
食以外にもあるぞ！
北海道のイケてるところ

知名度やブランド力はケタ違い！
札幌こそ北海道のいいところ!?

札幌の知名度やブランド力は全国屈指！

これまで歴史や地元民の証言から北海道民の気質について探ってきたが、そこでひとつわかったことがある。一般的に流布している北海道民の気質は、主に札幌人の気質をベースにしているという点だ。大らかで自由というのは各地の住民に共通するように感じたが、細かく見ていけば、各地で異なる気質をもっていることは明らかだ。このように、今までの北海道論は「札幌」か「札幌以外」かで括られがちだった。こうした考え方が当たり前のように受け入れられてきたのは、札幌が日本を代表する大都市だからに他ならない。

札幌市の人口は全国第5位。全国20の政令指定都市比較で見ると、対前年人口増加率２・１パーセントで第９位、社会増加比率も５・５パーセントで第６位と人口においては日本屈指の大都市である。道内での人口割合は36・３パーセントと３分の１以上を占めており、一極集中は年々進んでいる。

札幌市が公表している最新の人口移動調査（２０１６年）によると、市外からの転入者数は６万４９４６人で、そのうち道内からの転入者数は３万９１６１人となっている。近年減少傾向にあるものの、同地域内でこれだけの人口を吸引する都市は他にない。

札幌市が人口を吸引し続ける都市であり続けられるのは、その高い知名度が強く影響している。ブランド総合研究所が毎年公表している市区町村別魅力度ランキング２０２０で、札幌市は、１位京都市、２位函館市に次いで３位にランクインしている。かつてはトップに立ったこともあるため、函館市に負けるのは悔しいだろうが、全国３位というのは誇るべきポジションである。

また「生活ガイド．ｃｏｍ」というサイトが全国２万３１１９人に調査した「全国住みたい街ランキング２０２１」では神奈川県横浜市に次ぐ全国第２位。札幌市のイメージのよさは全国区である。

地元に深い愛着を抱いている札幌人

札幌市のイメージの良さを牽引しているのは札幌人のおらが町への愛着度の高さだ。札幌市では毎年市民意識調査を実施しているが、「札幌の街が好きですか」という質問に対して、「好き」「どちらかといえば好き」と回答した割合は、95・7パーセントにも達し（2020年度）、2010年度からほぼ90パーセントを超える結果になっている。また、住み続けたいと答えた人も88・3パーセントで、市民の郷土意識は極めて高いといえるだろう。

札幌の街が好きな理由のトップは「地下鉄やJRなど公共交通機関が整備されているから」が29・1パーセント、次いで「緑が多く自然が豊かだから」が27・7パーセント、「四季の変化がはっきりしていて、季節感があるから」が26・3パーセントと続く。ちなみに、定住を望む理由も「買物や通院に便利だから」が43・1パーセントと最多。要するに札幌市を愛する最大の理由は、交通インフラなどの都市基盤が整備されていて、緑や自然環境が比較的多いことだ。札幌市の人口1人当たりの都市公園面積は12・66平方メートルで、政令指定都市の中で全国４位。東京都区部（２・９１パーセント）と比べると10ポイント近くも高い。

札幌市にこれほど緑が多くなったのは、１９８２年に打ち出された「環状夢のグリーンベルト構想」によるところが大きい。不燃ゴミと建設残土で交互に埋め立て、札幌市街地を手稲山緑地・手稲緑地・北部緑地・米里緑地・野幌緑地・西岡緑地・石山緑地・藻岩山緑地でぐるりと囲もうとしたのだ。厚別区の環状夢のグリーンベルト発祥記念の森や、東区のモエレ沼公園、手稲区の前田森林公園などは、その政策の一環だ。まあ、結局手つかずになっているところも多いみたいだが、市民の地元への愛着に繋がっているのなら、あながち無駄にはならなかったようだ。

北海道を牽引するにはちょっと頼りない⁉

札幌市は高い知名度や人気度から、北海道の代表であるとともに広告塔でもある。札幌なくして北海道は成り立たないというのは全道民の常識だ。ただ、あまりに一極集中であるがゆえに、他の地域から嫌われることもある。もっとも京都市のようにあからさまな嫌われ方ではなく、どちらかといえば高い期待感ゆえにガッカリしてしまうというのが本音のようだ。ある日高人は「札幌が良くならないと北海道が良くならない。でも、札幌はいい意味でも悪い意味でも変化に乏しいので、うちらのような地方は廃れるばっかりだよ」と話していた。日本屈指の大都市であるがゆえに、その双肩にかかっている責任は重大だ。ところが、北海道中から人も金も集まっているので、それほど努力しなくても、今のポジションを維持できてしまう。そのため、まちづくりなども他の大都市に比べると、積極的なように見えて、実際は意外とのんびりしている印象だ。

札幌は北海道の船頭となるべき存在であることに間違いはない。あとはどれだけ自覚をもって、北海道を背負っていけるかが札幌の課題であろう。

とはいえ、札幌市にしろ札幌人にしろ、「大都会」札幌の座にあぐらをかいて、北海道気質の最たるモノである「のんびり」を謳歌し続けている。今のままではあまり期待できないのかもしれない。

札幌のブランド力と知名度は超一流。あらゆる街系ランキングで常に全国上位に位置し、北海道の名を世に知らしめている

札幌は大都会にあぐらをかいて、どこかのんびりしている。何もしなくても金と人が集まってくるので、まちづくりは中途半端

農業産出額は圧倒的だが意外な弱点もアリ！

農業王国の実力をデータで検証

北海道の主要産業といえば、やはり農業である。２０１９年度の都道府県別農業産出額は１兆２５５８億円で、２位の鹿児島県４８９０億円を大きく引き離している。

北海道における農業の構成割合は、耕種が全体の41・5パーセントを占めている。そのうち野菜15・5パーセント、米10・0パーセント、いも類4・3パーセント、その他が11・7パーセント。残りは畜産の58・5パーセントで、内訳は乳用牛が39・9パーセント、肉用牛が8・4パーセント、豚が3・6パーセント、その他が6・6パーセント。北海道農業の約4割を乳用牛が占めている。ただ、北海道の農業はスケールが違う。道内でわずか４パーセント程度のいも類が、都道府県別の構成割合では27・０パーセントを占めてトップに君臨している。生乳に至っては全国の51・７パーセントと半分以上を北海道で生産しているのだ。

そのほか、北海道が収穫量トップの品目は枚挙に暇がない。タマネギ、ジャガイモ、テンサイ、小麦、ニンジン、小豆、大豆、ダイコンなどなど……。もはや農業王国の地位は圧倒的である。食料自給率も１９６パーセント（カロリーベース）で全国平均の38パーセントを５倍以上も上回っている。この構図は、未来永劫変わらないだろう。日本という国が存続する限り、半永久的に北海道は最大の農業地帯であり続けるはずだ。

別海町が農業産出額トップになったのは国のおかげ⁉

北海道農業は、地域によって特色が大きく異なる。耕地面積は道東地域が42万ヘクタールで道内でもっとも広く、畑作と酪農が中心。次いで面積が広いのは道央地域の38万ヘクタール。ここは酪農よりも野菜などがメインとなっている。道北と釧路はほとんどが酪農で、もっとも耕地面積が狭い道南地域は野菜や果樹栽培がメインとなっている。

では、市町村別での農業産出額を見ると、トップは根室市に隣接する別海町で668億2000万円にも及ぶ。2位の北見市が286億4000万円だから、圧倒的な差である。別海町の産出額のうち99パーセント以上を占めるのは酪農。筆者は根室半島を太平洋側からオホーツク海側に向けて、ぐるっと1周回ってみたが、この地域は、漁港からわずか数キロ先に広大な牧場が広がっており、農林水産業の鏡のようなエリアである。なかでも別海町は生乳の生産に無類の強さを誇っている。

別海町をはじめとする根室半島は、冷害が頻発する地域で、開拓者たちも昭和に至るまでかなりの苦労を強いられたらしい。そこで1933年に主畜農業を基本とする「根釧原野農業開発五カ年計画」を策定。酪農家が一気に増加した。ただ、完全に酪農に振り切るまでになるのは、1954年に酪農振興法が制定され、別海町が高度酪農地域に指定されてからのこと。家畜導入資金の融資、トラクター導入資金の補助、飼料自給経営地の設定についての補助、サイロ・畜舎などの建設に対する融資など資金面であらゆる援助がなされ、根釧パイロットファームも建設され、現在の地位を築き上げた。別海町の乳用牛の飼育頭数は11万頭以上で、村民よりも多い。まさに牛の村である。

ブランドイメージで勝負できない北海道の米

根室半島を始め、十勝平野の道東部、道北部などでは国の方針もあって戦後に農業が発展した。広大な土地が余っていたこともあり、大規模な農業経営体が多く存在し、年間販売額が１０００万円を超える農家が多いのが特徴だ。対する道央・道南地域はもともと市街地が発展していたこともあり、農地は狭く、水稲や畑作が中心。そのため、零細農家が多く、農家の収入は東高西低となっている。

道央・道南地域の農業でカギを握っているのがブランド化だ。もっとも有名なのは夕張メロンだが、今金町の今金男しゃく、美瑛町の美瑛選果などがその最たる例だ。まあ、夕張メロン以外はまだマイナーだが、海外輸出などでそれなりに成果を出しつつあり、国内よりも国外に活路がありそうだ。

そもそも、北海道の野菜や果樹というのは、畜産に比べるとマイナーなものばかりだ。中でも、北海道産の米の不遇っぷりは涙モノである。実は、北海道の水稲の収穫量は新潟県に次いで2位だが、北海道は米どころというイメージがまったくない。それこれも昭和を通じて「まずい米の産地」というレッテルを貼られたからだ。

そのため、北海道ではあまり日本酒の醸造が発展しなかった。旭川にある男山は、正統をうたってはいるものの、もともとは伊丹で誕生した日本酒である。そもそも水稲の歴史が浅いこともあるが、水稲の一大産地でありながら、日本酒が発展しなかったのは残念でならない。そのせいか道民の酒といえば、もっぱらサッポロビールである。近年は「ななつぼし」などのブランド米が誕生し、品質面でも向上しつつあるが、長年定着したイメージを覆すのには、それなりに時間がかかるだろう。それはブランドイメージを売りに北海道を全国区にした道民なら、よくわかるはずだ。

道東から道北にかけては、どこに行っても牛ばかり。人よりも牛のほうが多い街もあるほど。まさに「でっかい道」である

見渡す限りの大自然をベースに、畜産や野菜は圧倒的な産出額を誇る。ただ、米だけは昔から悪いイメージが定着している

漁業でも実力はバツグン 伸びしろもまだ十分にある！

道民食と知られるホッケの全国シェアは9割超

筆者はかねてより北海道に対して「海の幸がうまい」というイメージを抱いていた。一般的にもそうだろうが、今回久しぶりに訪れてみて、そのイメージは実感となって固まった。行程上、函館でイカが食べられなかったのは残念でならないが、道内各地の海の幸を堪能させていただいた。

さて、筆者のイメージどおり、北海道は漁業も群を抜いている。都道府県別の海面漁業・養殖業産出額は2306億5900万円で、2位の長崎県1012億9900万円と比べると2倍以上の開きがある（2018年度）。そんなわけで、全国シェア率トップの品目も多い。ホッケ98・6パーセント、スケトウダラ94・５パーセント、コンブ類80・８パーセント、ホタテガイ80・５パーセントなど、多岐にわたる。

中でも、ホッケは道民食と呼んでも差し支えない名産である。東京在住の札幌人に「東京で食うホッケは身が少なくてサッパリしすぎてる。北海道で食べると身がプリプリで全然違うからぜひ食べてみて」と勧められるほどだった。確かに北海道で食べたホッケは脂分が多くて、東京とは違うことを実感した。ただ、全国で流通している国内産のホッケは98パーセントが北海道産なわけで、東京でもたまに見かけることがある（値段が高くて手を出しづらいんだけどね）。なんとなく「ザ・北海道」って感じがしないのは残念である。

地味になりがちな道東の海産物

先述の札幌人がホッケを強く勧めたのは、小樽市を中心とする後志管内の名産で、新鮮なホッケを常日頃からよく食べていたからだ。小樽人にとってホッケは非常に身近で、勝納埠頭あたりではホッケ釣りを楽しむ人も多い。かつて後志エリアでは、全漁獲量の約半分をホッケが占めていたこともある。近年は減少傾向にあったものの、2018年ごろから回復基調にある。ほかにもホッケが獲れるのは、稚内市をはじめとした宗谷管内、網走市を中心としたオホーツク管内が有名だ。

一方で、太平洋に面している根室や釧路、日高管内ではそれほどホッケはあがらない。主に獲れるのはスケトウダラ、サケ類、サンマ類だ。ちなみに筆者が食べられなかったイカは檜山管内（江差町、長万部町周辺）、ホタテガイは渡島管内（函館市周辺）、宗谷管内、オホーツク管内などでよくあがる。農業と同じように、漁業も各地で特色が異なっているのだ。そのため、札幌人がホッケを道民食だと思っていても、釧路人はそれがツブ貝やカレイだったりする。

ただ、札幌人のほうが対外的なアピール力が強いので、やっぱり道外ではホッケこそが道民食となる。小樽のイクラや函館のイカも札幌に近いとあって人気だが、水揚げ量が多いはずの道東の海産物はややマイナーになってしまう。まあ、根室の花咲ガニも有名なのだが、意外とカレイが名産だとは知られてなかったりする。

魅力ある海産物がまだまだ埋もれている！

さて、ここからは筆者が実際に巡ってみて感動した海産物を挙げてみたい。もっとも感動したのは厚岸のカキである。筆者は東北は岩手や宮城、広島や長崎県など、様々な産地のカキを食べ歩いてきたが、そのなかでも厚岸のカキは1、2を争う絶品だった。厚岸はそもそもアイヌが住んでおり、天然の港として古くから活用されてきた道内でも屈指の好漁場である。そこで獲れるカキは厚岸ブランド「えもんシリーズ」として知られる「カキえもん」と「マルえもん」のほか、「弁天カキ」という種類も水揚げされている。

たまたま厚岸に移住した料理人と知り合いだったため、筆者は「カキえもん」と「マルえもん」を格安で食べさせてもらうことができた。いわくどちらも特徴が違うため、「カキえもん」は生で、「マルえもん」は蒸して食べるように勧められた。というのも、その料理人が「えもんシリーズ」の生みの親とも呼ばれる地元の有名なカキ業者から仕入れており、本当にうまい食べ方を教わったそうだ。まず生で出された「カキえもん」だが、地元では何もつけないで食べるそうだ。しょうゆもポン酢もなしで、かけるのはレモンだけ。ひとたび口にすると、カキ本来の風味が鼻に抜け、あとから旨味が広がっていく。もはや言葉にすることすらはばかれるほどの絶品であった。

うっかりグルメレポートになってしまったので、話を元に戻そう。厚岸のカキは知る人ぞ知るブランドだが、なかなか道外の人が知らない絶品はまだまだある。たとえば、釧路近海で獲れるハッカク。道外の寿司屋などではめったにお目にかかれない高級魚である。主に東北や北海道でしか水揚げされず、よほどの魚介好きにしか知られていない。

北海道は海産物の宝庫であり、まだまだ名産が隠されている。すでに北海道はメジャー中のメジャーではあるが、もっともっと掘り下げられるだけのポテンシャルを秘めているといえるだろう。

ただ、輸送、冷蔵・冷凍技術の進歩によって、北海道産の海産物は他の地域でも鮮度を保ったまま食べられるようになったので、観光客誘致の武器としては、かえって力を落としているのが気になるところなのだが。

北海道は海産物の宝庫。水揚げ量は全国屈指で、何を食べてもウマい。ただ、札幌あたりだと意外にホッケばかり食べてたりもする

各地に特徴的な漁港があるにもかかわらず、それを観光資源として活用するのが苦手。もっとアピールしてもいいのに！

ＩＴ産業の集積地と呼ばれた過去の栄光を取り戻せるか

地方創生のカギを握る都市のシリコンバレー化

地方創生のカギを握るのは、都市部以外での産業育成にあるとされている。戦後から高度経済成長期にかけて、日本は都市部に製造業や商業が集積し、産業が一気に発展。その周辺地域に、居住区画が整備されて人口が集中していった。地方部における人口減少の最大の理由は、地方都市に産業がなく、給与水準が低いからというのが定説だ。

しかし、人口減少段階に入り、すでに地方都市の空洞化が進行している今、新たに土地を整備し、交通インフラも整えて、企業を呼び込むという旧態依然とした産業振興策は、なかなかうまくいかない。そこで期待されているのが、

ＩＴ産業である。現在、ＩＴをはじめとする先端産業を地方都市で促進させてシリコンバレーならぬ「〇〇バレー」を作ろうという動きが加速している。もっとも成功しているといわれているのが福岡県福岡市。福岡市は２０１２年に起業を積極支援する「スタートアップ都市」を宣言し、市長が先頭を切って政策を実行している。九州大学と連携し、起業を目指す「起業部」が創設されるなど、新しいアイデアを後押しする動きを強めている。島根県松江市では、世界中で使用されているプログラミング言語「Ｒｕｂｙ（ルビー）」の開発者が在住していたことを契機に、市と開発者がタッグを組んで、地元のＩＴ企業とともに街おこしをするプロジェクトに取り組んでいる。松江市では企業誘致を進めるよりも、まずは地元でのプログラミング人材育成に取り組み、小学校での導入だったり、10代向けの講座を開催したりしている。

　こうした自治体主導の取り組みは、懐疑的に見られることもあるが、先に紹介した福岡市と松江市では一定の成果も出始めている。福岡市では地元民たちによるスタートアップ企業が拡大しつつあるし、松江市では噂を聞きつけたプログラマーなどの移住が進み、有名ＩＴ企業の支社も進出している。

サッポロバレーはなぜ終焉を迎えたのか

実は、北海道にもかつて「○○バレー」と呼ばれた都市がある。道民のご想像どおり「サッポロバレー」である。札幌市は1980年代に首都圏からの地理的ハンディキャップを埋めるため、北海道大学工学部の教授が提唱した「札幌ベンチャーランド構想」を基に、情報産業の戦略的振興に取り組んだ。その一環として、1985年に厚別区で札幌テクノパークを造成を開始して企業立地を急いだ。さらに1993年からは、高度人材育成へと方針を転換し、当時は企業単位では難しかったインターネット接続を可能にするコンピュータ・ネットワーク機器群をエレクトロニクスセンターに設置するなど、最先端機器を次々と導入した。

こうした80～90年代の札幌市の動きを促進したのは、ハドソンの存在が大きかったとされている。アマチュア無線ショップから始まったハドソンは、まずパソコンソフト、次いで家庭用ゲーム機市場に進出し、次々とヒットを飛ばした。当時、豊平区にあった平岸グランドビルは、ほぼ全フロアにハドソンの関連会社が入居し、「ハドソンビル」とも呼ばれた。ちなみに、創業直後のソフトバンクは、ハドソンのソフト流通を手がけて経営を軌道にのせている。

だが、ハドソンの資金の後ろ盾になっていた北海道拓殖銀行が１９９７年に破たんすると、大きな打撃を受けたハドソンは資金繰りが難しくなり、２０１２年にコナミデジタルエンタテインメントに吸収合併されて消滅した。ちょうどこのころ、札幌テクノパークには情報関連企業が30社が進出。その後２０００年に至るまで、札幌駅北口は「ソフト回廊」と呼ばれるソフトウェア企業の集積地となった。２０００年当時、札幌市における情報産業の売り上げは約２０００億円となり、基幹産業へと発展していた。今でも道内の情報産業の８割が札幌市内に集積している。

だが、拓銀の破たんは、他の情報産業への資金流入も阻むこととなり、２０００年以降の札幌市でベンチャーなどのスタートアップ企業が福岡市ほど進んでいない。その原因とされるのはハドソンのようなモデル企業が失われたこと、ハドソンを旗印にして集まっていた高度人材が流出したことなどが挙げられている。

目指すべきはホッカイドウバレー！

ただ、希望がないわけではない。2019年より札幌市は「STARTUP CITY SAPPORO」プロジェクトを始動。このプロジェクトは、札幌市とさっぽろ産業振興財団、北海道新聞社が支援するベンチャー企業がタッグを組んで、スタートアップ企業を支援するというもの。何だか福岡市のパクリみたいな気もしないでもないが、良いものはどんどん真似るべきだし、まずは動き出したことは評価したい。今のところスタートアップ向け相談会や高校生や大学生向けの講座などに終始しているようで、まだまだ成果が出るのは先になりそうだ。

評価できるのは、今回のプロジェクトは札幌市に情報産業を集積するという目的ではなく、国内外の企業や周辺市とも連携することを目指している点。札幌中心に、スタートアップ企業などの事業や起業そのものを道内に広めていくことができれば、「サッポロバレー」ならぬ「ホッカイドウバレー」を構築できるかもしれない。

北海道のコンピュータ・IT企業（過去のもの含む）

社名	主な業務
GSI	システム開発
アーカムプロダクツ	アダルトゲーム
アットマークテクノ	システム開発
アルケミスト	ゲームソフト
エコモット	IoT事業
エムテック	システム開発
クリプトン・フューチャー・メディア	ボーカロイドなど
コネクト	システム開発
つうけんアドバンスシステムズ	通信
デンソー北海道	半導体
ハドソン	ゲームソフト・ハード
ビットスター	システム開発
ブルーゲイル	アダルトゲーム

※各種資料により作成

ジェンダーフリー社会のはずが指標だと全国最下位クラスのナゼ

都道府県別のジェンダーフリー指数

78頁でも述べたように、北海道は日本でも随一の男女平等社会だとされている。確かに女性が恋愛に積極的で、結婚生活に不満があれば離婚という決断すらいとわないという点では、他の都府県よりも男女平等といえるかもしれない。前章では、主に証言などから北海道の男女平等をひも解いてみたが、本項ではデータをもとに北海道の男女平等を推し量ってみたい。

国際的には、日本は男女平等が進んでいない国とされている。その根拠となっているのが、世界経済フォーラムが発表している「世界ジェンダー・ギャップ報告書」である。この調査では、「ジェンダー間の経済的参加度および機会（雇用や女性役員数など）」「教育達成度（男女の教員数など）」「健康と生存（男女間の平均寿命など）」「政治的エンパワーメント（女性政治家の数など）」の４つの指数をもとに格差を算定してランキング付けしている。この指数で日本は１５３カ国中１２１位（２０２０年）。Ｇ７の中では圧倒的な最下位となっている。選択的夫婦別姓制度が、ほとんど「なんとなくイヤ」的な経緯で今だ拒まれていることなど、これを実証する事実は多い。

で、この指数を模倣して都道府県別でまとめた興味深い調査がある。ちょっと古いが２０１５年に東レ経営研究所が発表した「都道府県別の男女平等度」である。この調査では「教育」「地方政治」「地方公務員」「民間企業」「条例計画」に指数を分けて、各データで偏差値を割り出している。

まず「教育」に関する女性比率として「大学等進学者女性比率」「校長・副校長・教頭の女性比率」を調査。北海道の「大学等進学者女性比率」は48・5パーセントで全国47位、「校長・副校長・教頭の女性比率」は８・４パーセントで全国45位で、「教育」の項目では全国46位となった。まあ、北海道は昔から教育が泣きどころといわれているし、これは仕方ないのかもしれない。

女性の政治参加率は中の中程度

次に「地方政治」の項目は、「都道府県議会議員女性比率」と「市区町村議会議員女性比率」を基に割り出している。北海道の「都道府県議会議員女性比率」は8・3パーセントで全国21位、「市区町村議会議員女性比率」は11・4パーセントと全国22位で、全体で20位。ちなみに2020年のデータによれば、全道の女性議員比率は13・0パーセントと、この指数の調査の頃よりもアップしている。市町村別では歌志内村が37・5パーセントとトップで、釧路市が11・5パーセントでワースト。町村部は議員数が少ないので、相対的に割合が高くなることもあるが、日高や根室、宗谷などでも女性議員の割合が低くなっているので、やはり札幌に近い道央部のほうが女性の政治参加は多い。

3つ目の「地方公務員」の項目は、「都道府県管理職女性比率」と「市区町村管理職女性比率」のふたつで、北海道は前者が3・5パーセントで全国44位、後者が12・5パーセントで全国24位。都道府県の管理職が多い一方、市区町村では低くなっている。2020年の市区町村別では厚沢部町が33・3パーセントでトップ。ワーストはひとりも女性管理職がいない自治体で、40以上も存在している。政治参加や公務員数では、北海道は中の中ぐらいとなっている。

国際基準なんてくそ喰らえな道民女性の強さ

「民間企業」の項目は、「会社役員女性比率」と「正社員女性比率」のふたつ。北海道は前者が22・2パーセントで全国37位、後者が30・0パーセントで全国38位で、いずれも中の下。ただ、2020年の帝国データバンクの道内企業意識調査では「会社役員女性比率」は女性管理職割合は平均7・2パーセントと前述の調査とは大きく異なる。政府目標である「女性管理職30パーセント以上」を超える企業は6・5パーセントと減少している。さらに社内外を問わず女性登用を進めている企業は36・3パーセントで前年から9ポイントも減少しているという。民間企業での女性役員登用はまだまだ途上にありそうだ。

最後に「条例計画」の項目は、「男女共同参画条例の制定状況」と「男女共同参画基本計画の策定状況」である。北海道は前者が10・1パーセントで全国

41位、後者が22・9パーセントで全国最下位である。２０１４年時点での調査なので、現在はもっと上がっているかもしれないが、条例や計画の策定という意味で北海道が後れを取っていたのは事実である。

これらすべての項目を総合した北海道の偏差値は40・２で全国最下位となっている。男女平等社会だといわれているわりには意外な順位である。しかし、このデータを札幌出身女性にぶつけると「そもそもこんな数値で、男女平等意識が浸透しているかどうかを測ろうとするのが無理がある。男女平等ってもっと精神的なものだと思いませんか?」と、反論された。対して札幌出身男性は「まあ、人の意見はいろいろですから」とのらりくらり。いやはや国際的な基準に沿ったものではあるのだが、それすら真っ向から否定できるほど札幌の女性は芯が強く、男女平等を肌で感じているということか。ただ、指標では男女不平等かもしれないが、78頁の論点と踏まえると、男性より女性のほうが強いような気がしなくもない。

女性のストレスが少ない県ランキング（2020年）

順位	都道府県	ストレスオフ指数
1位	鳥取県	56.2
2位	滋賀県	52.2
3位	山口県	49.5

38位	北海道	-16.3

45位	山梨県	-41.6
46位	秋田県	-45.2
47位	高知県	-58.1

※メディプラス研究所調査より

北海道は究極の男女平等社会と言われているが、データ上では女性の社会進出が進んでいない。平等なのは気質だけなのかも!?

有名人ばかり生み出す北の大地は「大物の産地」

俳優、歌手、芸人と有名人は枚挙に暇がない

道民が誇りにする北海道出身の有名人といえば、何といっても大泉洋や安田顕らによる「TEAM NACS」だろう。大泉洋の『水曜どうでしょう』は新作が出れば、ほぼすべての道民が欠かさず観る化け物番組。2019年に新作が放送された際には、札幌エリアで占拠率50パーセントを達成したというから、もはや紅白歌合戦をしのぐ道民的番組といっても差し支えない。

歌手でいえば、北島三郎といった大御所をはじめ、松山千春、玉置浩二、吉田美和、大黒摩季、YUKIと実力派ぞろい。安倍なつみや里田まいなどのモーニング娘。勢も、当時道民をにぎわせた。このように、北海道の有名人を挙

げればキリがないし、そもそも本書で名前を列挙しても仕方がないので、あとは一覧表を確認していただきたい。

北海道がこれほどまで全国区の有名人を次々と輩出するのは、やはり風土や気質によるところが大きい。自由でマイペースなため、自分の夢に突っ走っても、周囲もあまり止めることはなく、むしろ応援するのが道民の親心。また、冬が長く、外は雪深いのでインドアな遊びが多くなるので、必然的にカラオケをたしなむ機会が多い。小樽あたりじゃカラオケ喫茶なんていう文化もあるぐらいだし。裏を返せば、有名歌手をどんどん輩出するので、そういった出身歌手に憧れを抱き、また新たな才能が生まれるという好循環を生んでいる。実力派歌手が多いのは、北海道が育んだ歌文化が背景にある。

戦後に育まれたリベラル・革新思想

このように北海道の風土や気質は、独特の文化を生み出した。そのひとつが道民のリベラル・革新思想である。戦後の北海道は、社会党の王国と呼ばれるほど革新派が強く、数々のリベラル派議員を輩出している。昨今では、立憲民主党の赤松グループに所属する鉢呂吉雄（新十津川町出身）。民主党では北海道代表を務め、民主党の野田政権下で経済産業大臣として初入閣を果たした。だが、福島放射能事故の際に「放射能をつけちゃうぞ」発言が問題視されて辞任。その後はどうもパッとしないが、実力者であることは間違いない。

こうした政治思想が育まれたのは、農村社会が色濃く影響したと考えられている。北海道における政党づくりは、終戦直後から開始され、1945年に、日本社会党の北海道支部が結成された。その後、北海道で農民党が結成されて社会党の支持基盤を形成する一助となり、党員の多くは社会党へと流れていった。農民党はのちに農民同盟となり、その後北海道農協の中核をなし、農民に対する強い影響力を保持していたのだ。政治思想家の間では、「北海道農協の政治好きは伝統である」とさえ言われていたらしい。ただ、旧農民党の人々は「保守とはいわないまでも、政治的信条として革新派というわけではない曖昧な立場だった」そうだ。

というのも、当時の革新系政党は、農民保護を強く訴える風潮が強く、その政策に多くの農民たちが共感したからだ。しかし、1960年代以降に高度経済成長期を迎え、自民党が支持基盤を全国に拡大していくと、徐々に北海道でも切り崩しが始まった。1980年代まで根強く革新派がいたものの、1990年代には、ほとんどの農村が保守派に切り替わった。これは、戦後の自民党が積極的に農業に投資して農村振興を図ったことと、全国の農協が自民党支持に変わっていたことが大きい。このように風土的にはリベラル・革新派が生まれやすかったものの、時代を経るにつれて北海道の政治思想も変わっていった。

政治家よりも政治を動かした田中清玄

政治思想を180度転回させたという点では、ある北海道の超大物を思い出す。その人こそ、戦後日本の政治を裏から操ったフィクサー・田中清玄である。田中清玄は戦前の非合法時代から日本共産党の中央委員長を務めた人物で「武装共産党」という先鋭的な政党も立ち上げた、バリバリの共産主義者だった。ところが、1934年に獄中で天皇主義者への転向を決意。軍隊や政治家、財閥などに太いパイプを持ち、ポツダム宣言受諾に至るまで、裏で終戦工作を行ったとされている。以降は、実業家兼政界のフィクサーとして国内外で活躍。インドネシアなどとの石油交渉に携わるなど辣腕を発揮した。右翼の大物として語られることが多いが、政治的な活動などを振り返ると、根本的には中道の色合いが強く、幅広い思想を持っている。左翼的な面も最後まで持ち続けていた。

そんな清玄のルーツは七飯村（現在の七飯町）にある。旧会津藩士の孫として生まれ、幼少期は何不自由なく過ごしていたそうだ。函館中学に進学して以降は、アメリカ、イギリス、フランス、ロシア、中国の外国船が集う国際色が強い西洋文化のなかで過ごした。自身でも語っているように「生活はヨーロッパ風、だけど精神は会津の精神」という精神性が育まれた。

清玄が戦後に果たした役割は、善し悪しの判断はともかくとしても、教科書に載るような有名政治家よりも大きいといえる。そんな大物を生んだのだから、北海道の大地は野菜や魚介類だけでなく「大物の産地」といえるのかもしれない。

北海道出身の著名人（一部）

氏名	職種	出身	氏名	職種	出身
	政治家		輪島功一	プロボクサー	樺太
伊達忠一	参議院議長・自民党参議院幹事長など	芦別市	佐藤義則	プロ野球	奥尻町
横路孝弘	衆議院議長・北海道知事など	札幌市	ヴィクトル・スタルヒン	プロ野球	旭川市
中川一郎	農林水産大臣など	広尾町	星野伸之	プロ野球	旭川市
町村金五	北海道知事・元自治大臣など	札幌市	若松勉	プロ野球	留萌市
鉢呂吉雄	経済産業大臣など	新十津川町	城彰二	サッカー	室蘭市
鈴木宗男	新党大地代表など	足寄町	山瀬功治	サッカー	札幌市
	ビジネス		笠谷幸生	スキージャンプ	仁木町
似鳥昭雄	ニトリ創業者	樺太	原田雅彦	スキージャンプ	上川町
鹿内信隆	フジサンケイグループ会議議長	由仁町	船木和喜	スキージャンプ	余市町
小池聰行	オリコン創業者	新ひだか町	高梨沙羅	スキージャンプ	上川町
石黒靖尋	ホーマック創業者	釧路市	阿部雅司	ノルディック複合	小平町
平塚常次郎	ニチロ創業者	函館市	岡部哲也	アルペン	小樽市
	文化		川端絵美	アルペン	札幌市
安部公房	小説家	旭川市	佐々木明	アルペン	北斗市
京極夏彦	小説家	小樽市	清水宏保	スピードスケート	帯広市
小林多喜二	小説家	小樽市	堀井学	スピードスケート	室蘭市
子母澤寛	小説家	石狩市	長島圭一郎	スピードスケート	池田町
三浦綾子	小説家	旭川市		芸能	
渡辺淳一	小説家	上砂川町	北島三郎	音楽家	知内町
西部邁	評論家	長万部町	こまどり姉妹	音楽家	士別市
熊川哲也	バレエダンサー	旭川市	細川たかし	音楽家	真狩村
吾妻ひでお	漫画家	浦幌町	大黒摩季	音楽家	札幌市
荒川弘	漫画家	幕別町	中島みゆき	音楽家	札幌市
板垣恵介	漫画家	釧路市	松山千春	音楽家	足寄町
島本和彦	漫画家	池田町	ケン・イシイ	音楽家	札幌市
空知英秋	漫画家	滝川市	YUKI	音楽家	函館市
星野之宣	漫画家	釧路市	吉田美和	音楽家	池田町
安彦良和	漫画家・キャラクターデザイナー	津軽町	安全地帯	音楽家	稚内市・旭川市
山岸凉子	漫画家	上砂川町	GLAY	音楽家	函館市
大和和紀	漫画家	札幌市	加藤浩次	芸人	札幌市
岩田聡	ゲームクリエイター	札幌市	タカアンドトシ	芸人	札幌市・旭川市
高橋名人	ファミコン名人	札幌市	大泉洋	俳優・タレント	江別市
三國清三	洋食料理家	増毛町	玉置浩二	俳優・タレント	旭川市
	スポーツ		水谷豊	俳優・タレント	芦別市
大鵬	第48代横綱	樺太	西村晃	俳優・タレント	札幌市
北の湖	第55代横綱	壮瞥町	大政絢	俳優・タレント	滝川市
千代の富士	第58代横綱	福島町	山賀琴子	俳優・タレント	旭川市
内藤大助	プロボクサー	豊浦町	藤本美貴	俳優・タレント	滝川市

※グループアイドルは省略　※各種資料により作成

北国にしては意外と長生きなのに足を引っ張る不健康な女性

平均寿命も健康寿命も男性は上々

北国というのは基本的に長生きできないとされている。生活環境が過酷だとか、雪が深いゆえに運動不足になりがちだとか、生活習慣上の様々な問題が絡み合って健康に害を及ぼしていると考えられている。

たとえば、東北地方は総じて平均寿命が低い。2015年都道府県別生命表によれば、青森県は男性78・67歳、女性85・93歳で、いずれも全国最下位。秋田県は男性79・51歳で全国46位、女性86・38歳で全国44位。岩手県は男性79・86歳で全国45位、女性86・44歳で全国42位。福島県は男性80・12歳で全国41位、女性86・40歳で全国43位。その中で、北海道は男性80・28

歳で全国35位、女性86・77歳で全国37位。宮城県と山形県には負けているものの、かなり善戦している方である。

もうひとつ、健康寿命でも比較してみよう。健康寿命とは「平均寿命から健康に問題のある期間を差し引いた期間」のこと。統計調査などでは日常生活に制限のある「健康ではない期間」を算出している。浜松医科大学の調査（2016年。熊本県は大地震のためデータなし）によると、北海道は男性が8・37歳で全国31位、女性は13・23歳で全国6位。この数値は低ければ低いほどいいので、北海道では女性のほうが健康寿命が短く、男性のほうが健康寿命が長いということになる。北海道の男性は、東北地方と比べても、比較的健康でいられる期間が長い。ちなみに津軽海峡をはさんだお隣の青森県男性は平均寿命も短いが、健康寿命との差も全国一で短い。太く短くピンピンコロリと亡くなる男性が多い県なのだろう。

というわけで、北海道は全国で比較すると、それほど平均寿命が長いとはいえないが、同じような気象条件をもつ東北などの雪国と比べれば、けっこう長生きなのだ。

肥満と喫煙が道民最大の健康リスク

そこで、道民にどんな健康リスクがあるのか健康指標を基に分析していきたい。北海道では『すこやか北海道21』という健康増進計画を策定しており、その中で道民の健康状態を示す指標が公表されている（2016年調査）。

まず、40～74歳の高血圧症有病者割合は、男性で58・6パーセント（59・3パーセント、カッコ内は全国平均）、女性では42・1パーセント（39・6パーセント）。いずれも前回調査よりも増加している。特に女性は全国平均を上回っている。糖尿病については男女ともに全国平均を下回っているので、道民は比較的高血圧になりやすいと考えられる。

高血圧の主な原因となる生活習慣は、おもに肥満、塩分の摂り過ぎ、ストレス、喫煙の4つ。このうち、道民が心配しなくてはならないのは肥満と喫煙である。

ちょっと失礼かもしれないが、道内各地を巡ってみた感想として、道民はややぽっちゃり体型の人が多いように感じる。筆者は取材をかねて北海道に移住した知り合いと3年ぶりに会ったのだが、まさかの20キロ増で別人のように変わっていた。まあ、うまいものが多いから食べすぎたのかもしれないが、実は北海道はもともと太りやすい「土地柄」らしい。緯度の低い地域では遠心力が強いため重力が弱まって体重が軽くなり、逆に緯度の高い地域では体重が重くなるという。北海道と沖縄では約１００グラムも体重のズレが生じるらしい。まあ、筆者の知人は１００グラムぐらいじゃあ説明できない太り方だったが。

というわけで、道民の肥満者の割合は男女ともに高い。男性が39・6パーセント（29・5パーセント）、女性が26・7パーセント（19・2パーセント）と、全国平均を大きく上回っている。

もうひとつの懸念事項が喫煙だ。前述の『すこやか北海道21』で、わざわざタバコ対策だけ別途資料を用意して注意喚起しているように、道民の喫煙率の高さは自他共に認めるところ。道民の喫煙率は男性34・6パーセント（31・1パーセント）、女性16・1パーセント（9・5パーセント）。いずれも全国平均を上回っているが、やっぱりここでも女性のほうが高い。中でも問題なのは妊産婦の喫煙率。妊婦で6・3パーセント、産婦で8・4パーセント。全国平均の3・8パーセントと比べると、圧倒的である。『北海道の逆襲』を著した井上美香も、「車内で咥えタバコをしている女性が多い」とも証言している。そのせいで、道民の肺がん死亡率は全国でワーストだ。

こうしてつぶさにデータをひも解いていくと、道民男性はわりと健康的に暮らしているようだが、一方で女性は健康リスクの高い生活をしていることがわかる。前述の井上は女性の咥えタバコは「日常を逸脱したいというある種の性的願望が女性に向かったのではなく、中性化や男性との同一化に向かった」のではないかと考察している。仮にこの説が正しいとすれば、道民女性は日常的にムラムラしているってことに……。そのストレスによって、暴飲暴食で肥満になり、喫煙もしてしまうっていう可能性もなくはない。

まあ、これはうがった見方にすぎないし、あくまで冗談である。少し前までは、女性の喫煙は自立心の高さを表すという向きもあったわけだし、肯定的な意味でも北海道的女性といえる。いずれにしても平凡な暮らしを送る道民男性に比べて、女性が「不健康」ってことに変わりはなさそうだ。

全国都道府県健康寿命ランキング（2020年）

男性			女性		
順位	都道府県	健康寿命	順位	都道府県	健康寿命
1	山梨県	73.21	1	愛知県	76.32
2	埼玉県	73.1	2	三重県	76.3
3	愛知県	73.06	3	山梨県	76.22
---			---		
25	北海道	71.98	45	北海道	73.77

※厚生労働省簡易生命表より作成

道民の健康で気になるのは、高い肥満率と喫煙率。なかでも道民女性は際立って健康寿命が短く、全国でも最低ランクに沈んでいる

全国民から愛される圧倒的なイメージのよさ

北海道の高い魅力度を支えているのはやっぱりグルメ！

道民は「北海道ブランド」に対する誇りが強い。というのも、北海道のイメージに対する世間の評価がすこぶる高いからだ。

札幌市が市区町村別の魅力度ランキングで第3位に輝いたことは先述のとおりだが、都道府県別では北海道の魅力度はより圧倒的である。何せ12年連続で1位という不動の魅力度を誇っているからだ（2020年）。しかもそのポイントは60・8で、2位の京都府（49・9）を大きく上回っている。あまりに強すぎるので、もはや魅力度の話題は最下位争いばかりに目が向けられがちだが、道民としては鼻高々であろう。

北海道の高い魅力度を支えている屋台骨は、やっぱりグルメである。魅力度と同じくブランド総合研究所が発表している「食事がおいしい都道府県ランキング」（2019年）によると、これまた北海道が41・5ポイントで、2位の福岡県25・5ポイントを大きく引き離す圧倒的な1位。ちなみに市区町村ランキングでは、1位札幌市、2位函館市、3位小樽市と北海道の都市がトップ3を独占している。

また、ブランディング&コミュニケーションズ・ラボは「全国の人が北海道と聞いて思い浮かぶ地域やそのイメージ」を調査（2015年）。これによると、北海道と聞いて思い浮かぶ都市は1位函館、2位札幌、3位小樽・富良野となっている。また、それぞれの都市名から連想するイメージもたずねているのだが、函館は上から夜景、港、海産物、寿司、イカ。札幌は都会、ラーメン、時計台、雪まつり、中心。小樽はレンガ倉庫、寿司、運河、観光、海産物。どの都市にもグルメの項目がランクインしていることがわかるだろう。中でも海産物のイメージが根強いようだ。もちろん筆者も「北海道といえば海の幸」という印象が強い。「日本人なら海鮮でしょ！」と感じている人は、決して筆者だけではなく、全国民の総意といっても過言ではない。北海道は山の幸や畜産物にも一日の長があるが、グルメ界の王者たるゆえんは、やはり海産物にあるといえるだろう。

『北の国から』で築かれた大自然と純朴なイメージ

北海道のイメージをグルメだけで説明するのはあまりに暴論だ。あくまで大黒柱なだけであって、ほかにも様々な魅力が支柱としてそびえている。道民はよく「北の大地」における大自然を次点に挙げるが、他県民のイメージとして根強く残っているのは、やはり有名映画やドラマのロケ地という点。道民の憧れでもある高倉健の『網走番外地』や『鉄道員（ぽっぽや）』も北海道のイメージや知名度アップに貢献したが、対外的にはやはり『北の国から』がもっとも印象深い。前述のイメージ調査でも、富良野が3位に入っているのは同ドラマの影響が強いからに他ならない。

今回、『北の国から』ファンの編集者とともに富良野を訪れたのだが、撮影がひと通り終わると、編集者は「せっかくだから五郎さんの石の家に行こう！」と言い出した。正直長時間の運転で疲れていたのだが、50代の男性編集者があんなにも目をキラキラさせるのだから、この依頼は聞かないわけにはいかない。というわけで不承不承、富良野駅前から市の外れにある五郎さんの石の家へと車を走らせた。取材当日は平日で、営業時間ギリギリに行ったのだが、筆者たちの他にも観光客とおぼしき人をチラホラ見かけた。放送終了からおよそ20年近く経つというのに、今でも訪れるファンは多いらしい（ちょうど田中邦衛が亡くなった後だったというのもある）。

『北の国から』が国民的人気を博したのは、倉本聰の脚本で描かれた過酷ながらも美しい自然や、その中で素朴に生きる家族の姿が涙を誘ったからだ。また倉本自身が富良野在住ということもあって、その精緻な描写に道民たちも共感を覚えたという。そのイメージが国民の脳裏に焼きついているため、「北海道＝純朴で美しい」という構図が形成された。『北の国から』は、北海道に対する好イメージを支える縁の下の力持ちともいえる。

「食がうまい」という強烈な魅力に、『北の国から』に代表されるような「自然の中で純朴に生きる人々」という好イメージが後押しして、北海道は全国民に愛される都道府県の地位を確立していったのだ。

埋もれがちだが温泉も道民の自慢のひとつ

だが、これらのイメージが強すぎるため、埋もれてしまっている魅力も少なくない。その最たる例が温泉である。

実は、北海道は都道府県別の温泉地数で全国トップなのだ。登別温泉や洞爺湖温泉、定山渓温泉など名前を聞けば納得する有名温泉地もあるのだが、北海道と聞いて温泉と答える人は少ない。それもこれも「食」や「自然」といったイメージが強すぎて、温泉地は二の次、三の次になってしまうのだろう。ただ、各地で地元民に聞くと、隠れた秘湯をけっこう知っていて、ちょっとした骨休めに温泉に行く人は多い。巨大な北海道だけに、せせこましい家の風呂ではなく、広い湯船で足を伸ばして、のんびりできる温泉のほうが好きなのは、まあ当然のことか。

富良野も北海道のイメージアップに一役買っている。大自然の中で生きる人々の素朴さを描いた『北の国から』は傑作だ！

実は温泉地数トップの北海道。有名な観光地もあるが、あちこちに小さな温泉があり、道民は秘湯に通っていたりもする

北海道コラム 3

道民女子高生の制服トレンド

ファッションというのは、その人の集団への帰属意識のあらわれだともいわれている。たとえば、世界各地に民族衣装があるように、特定の衣服を着ることで自身のアイデンティティをあらわしているのだ。特に日本人はその傾向が強く、これだけ制服にこだわる国は世界中でも珍しい。私服が許される大学生になっても「量産型ファッション」と呼ばれる服を着こむことで満足する人が少なからず存在している。ヤンキーの特攻服なんかも典型例だろう。

だが、そうした画一的なファッションで一定の帰属意識を示しつつも、ちょっとしたアレンジで個性を出そうとするのが日本人だ。よく見れば、高校生の制服の着こなしは微妙に差がある。女子高生のファッションを見れば一目りょう然で、かなり制服で自己主張をしている。特に個性を重視する北海道の女子高生は、制服ファッションにもこだわりがあるはずだ。

というわけで、筆者は道内各地ですれ違う女子高生のファッションチェックを独断と偏見で行ってみた。誤解しないでほしい。これはあくまで道民を理解するための取材の一環。客観的に各地の女子高生をファッションチェックしていただけだからね！

さて、日本の女子高生ファッショントレンドは、おもに3つの流派に分かれているという。それぞれの特徴を「制服トレンド白書」より抜粋していこう。

①清楚系：主流派。くるぶしソックス（白が多い）。スカートの丈は長め。ネイビーやブルーのアイテムが多い。暗めのチェックスカート

②韓国系：最近のトレンド。短めの黒ライン

が入ったソックス。ぴったり目のスカート。オルチャン（韓国風）メイク、韓国系アイドルの人形をカバンにつける

③ギャル系：少数派。ルーズソックス。スカートの丈は短め。夏でもニット着用。厚底ローファー。

このなかで①ばかりなのが、道東やオホーツク沿岸。釧路にはやや③っぽいファッションも見かけたが、大阪や東京で復活しているルーズソックスを穿いている人はいなかった。特徴的なのは②がほとんどいないこと。従来の日本型女子高生であり、どのトレンドにも属さない超地味ファッションも多かった。

一方で道央から石狩にかけての都市部では、①②のファッションが多い。中でも札幌では②に当てはまる典型的な女子高生が多いのが印象的だった。個人的な感想としては東京の新大久保（韓流の聖地ね）ぐらい多く感じられた。中には、服装は①でも、メイクは②という人も少なくなかった。

ただし、札幌には、このどれにも属さない、芸術系とも思われるような超個性派が一定数混在している。筆者が見かけた中では制服以外はすべて赤で統一していた女子高生。さすがは北海道ファッションの最先端都市である。

第４章
道民が自覚していない北海道のダメなところ

確かにおおらかだけど
その意味するところは

内地の人をイラつかせる北海道民

室蘭生まれの作家・八木義徳が1956年に書いた文章に「北海道顔」について触れたものがある。新橋駅の近くの飲み屋で一杯やっていたところ、老人から不意に声をかけられて「失礼ですが、あなたは北海道の方でしょう。あなたの顔は典型的な北海道顔です」といわれたというのだ。1870年に開拓使が置かれてから86年目ですでに北海道顔ができていたのだろうか。八木は「どうやら北海道にも北海道顔といわれる一つの骨相学的類型ができ上がったらしい」と納得している。なお八木の父親は山梨生まれ、母親は青森生まれだ。

そんな北海道民。筆者の知人に、北海道で代々の農家を営む夫と、京都は洛中生まれの妻という夫婦がいる。かれこれ20年あまりも連れ添って、娘も生まれた。その間、日本の経済も浮き沈みがあって、手に職を持つ夫のほうは仕事も来ない時期もあったが、その間にもいたくのんびり構えていたという。そうなるたびに妻のイライラは募る。曰く「娘も大学受験の歳になり、これから物入りだというのに、自分から仕事を貰いにいこうともしない。ただ、のんびりとしているのが本当に腹が立つ」というのだ。

この奥さん、なかなかのやり手で夫婦の少ない稼ぎから貯金するだけでなく、少しでも利殖しようと株やら投資信託にも回している。お金には１円単位で細かい。聞けば、数年前に亡くなった母親は、長く役所に勤めていたしっかり者だったそうで、亡くなる前に認めた遺言状には貯金の預け先から子供への分配。おまけに、どこそこに幾らずつ寄付と業務指示みたいになっていたとか。そんな育ちだから、若いときは微笑ましく思えた北海道的大らかさも、単にナマケモノとしか見えなくなる。いや、聞けば筆者も唖然とするくらいに壮大な大らかさ。受験でイライラしている娘にも「まあ、どこか受かるんじゃないの」と。大らかさと無神経は時としてイコールである。

おおらかさは劣等感の裏返しか

前述の八木の文を信じれば、本格的に和人が内地から移民するようになって百年も経たぬ間に、北海道民は顔つきからもわかるくらいに独自性を築いてきたといえる。その独自の気質の根幹をなすのが内地とはひと味違った気候風土がつくる、おおらかさである。だが、このおおらかさという言葉には様々な意味がある。あくまで、大ざっぱなのであって人間的に器が大きいわけではないのだ。むしろ、北海道民というのは意外にキレやすいという意見も聞く。実際、歴史を紐解くとけっこう凄惨な事件も起きているのが北海道である。

これまで勘違いされてきたが、北海道民＝道産子＝自然豊かな気候風土が培った心の豊かな人というのは大間違いである。北海道民の気質を表現するときにおおらかさとは、むしろコンプレックスから生まれたといえる。アイヌの土地を無主の地として開拓して成立した北海道。移民といえば聞こえはいいが、大抵は困窮してたどり着いた者たちだ。北海道の人々は自分たちが日本内地から隔離された存在であるというコンプレックスを胸に抱いている。このコンプレックスは時として内地よりも魅力的な北海道を建設する原動力となったのだが、同時に強烈な劣等感ともなってきた。永山則夫が獄中で書いた小説群、あるいは足立正生・松田政男らによる映画『略称・連続射殺魔』が描くのは、特異な犯罪者というよりは、北海道に住む人々が逃れることのできないどん詰まり感である。この圧倒的な劣等感の裏返しとして、北海道民は内地とは違う独特の生活習慣や文化、気質を育んで来た。実際、広い大地に生まれ育って豊かな心を持ち合わせた人が多いというのは幻想に過ぎない。

官僚支配が生んだ北海道的のんびり

おおらかさと並んで北海道民の気質として使われることが多いのが、のんびりした気質というものである。これもまた広い大地でのびのびと育ったからだと解説されがちだが、これもまた否である。

のんびりとした気質を生んだのは、開拓の夢を見てもどうにもならないという明治以降の歴史によって生まれたものである。歴史の章でも語ったが、当初の開拓民は政府主導で家はもちろんナベ、カマまでが官費で支給されていた。これはすぐに廃されたが、以降も道民は第一世代からして官による補助金の恩恵を受けてきた。開拓地では当たり前のフロンティア・スピリッツなどとは最初から無縁だったというのが事実なのだ。

官尊民卑の風潮については、後で触れるが、ほとんどが門閥のない無一文。その上に開拓し、のちには道庁がでーんとのしかかっているのが明治以降の北海道の社会であった。この強大すぎる官の力ゆえ道民は、先を争って子供を学校にやって役人にしようとした。そんな才能のある子供に恵まれなかった家でも、中央から道庁から炭鉱会社から、なにかしら降りてくるカネによって仕事にありついたり、物が売れたりしてなんとかなっていた。産炭地で炭鉱閉山後に会社所有だったインフラを行政が維持せざるを得なかったのも、常に役所や会社がどうにかしてくれるというのが常識だったからといえる。結果、他力本願な意識は今も道民の中に残存している。内地の者が北海道民にイラつくのは、ある意味正しい。

大通公園など、札幌を歩くと公共スペースでのんびりしている人を他の都市以上に多くみかける。心に余裕があるのか、それとも……

一時は生活保護費に札幌市が悲鳴を上げるなど、ともかく働かない道民。これもすべて「なんとかなるさ」精神のたまものなのか

道民は北海道を出たがらない強力巣ごもり気質の真実とは

釧路から東大へいった学者の告発

2018年にアメリカ文学研究者の阿部幸大が『現代ビジネス』誌で発表した『「底辺校」出身の田舎者が、東大に入って絶望した理由――知られざる「文化と教育の地域格差」』は、大きな話題となった。阿部は1987年生まれで釧路湖陵高校出身。東京大学の博士課程を出てフルブライト奨学金を得ているから、現代日本でも指折りの優秀な学者であろう。本人によれば「中卒の母親と小学校中退の父親という両親のもとに生まれた」とあるから単なる秀才とはひと味違うのだが、そんな彼の体験から見えるのは北海道の絶望感である。

話題になったのは、内地の人間からは想像もできなかった北海道の現実が体験に基づいて記されていたことだ。曰く「女性は大学・都会になど行くべきでないという根強い価値観」「都会に出ようとする若者への激しい嫉妬と物理的・精神的妨害」「近所の本屋に受験参考書が揃っていない」などなど。

なるほど、内地でそこそこ豊かな家に育ったインテリ層が読めば驚くはずだ。筆者は県庁所在地レベルの地方都市で高校まで過ごしたが、中学生の時までまったく勉強をしていなかったので、進学先は県内でも指折りのバカ高校しかなかった。入学してからハタと気付いて勉強を始めて、今があるわけだがヤバかった。周囲には大学にいくヤツなんて片手の指程度しかいないし、県外の大学に進学なんて数年に一度のレベル。「激しい嫉妬と物理的・精神的妨害」は激しかったものだ。それが、その何十倍の濃度で、かつ学校内だけでなく地域も巻き込んで押し寄せてくるのが釧路市というところなのだと、想像するとそら恐ろしい。

だが、奇跡的に脱出した阿部の告発も、内地のインテリ層が話題にしているだけのもの。そもそも、本来自分たちがそういう環境にあるのだということを、当の北海道の人たちは気付くこともないだろう。なにせ『現代ビジネス』のサイトにアクセスする時点で、そこそこ現代社会というものに興味を持っているわけだし、教養がなければそんな興味など沸かない。北海道民は北海道を出たがらないというよりも、出るという想像力すら持ち合わせていないのかもしれない。

才能のある者はさっさと去りゆく

北海道はあらゆる意味で内地とは異質である。第二次世界大戦がもう少し続いてソ連軍が上陸していたら、札幌あたりを首都として人民共和国ができて、日本列島は南北に分断されていたはずである。そんなソ連を隣接する風土にあってか冷戦期を通じて左翼性は強く、知事は長らく社会党が占め、自治労や炭労、国労など総評系の労組は強かった。日教組も北海道出身者が委員長になることは多かった。かつての道議会なんて革新と保守が伯仲していて、55年体制をよそに日本でもまれな二大政党制が成立していた。こうした状況が生み出すのは政治経済あらゆる分野で、地縁血縁による支配、職場や地域でも小さなボスが乱立して親分子分の関係で社会が構成されることを示している。

こんな状況だから、北海道民で名を成す者には芸術家や芸能人、それも女性が圧倒的に多い。要は社会のしがらみや、画一的な評価に属さないジャンルでなければ才能を育むことができないのだ。そして、たいていはさっさと北海道に見切りをつけて飛び出す。名を成した後に帰ってくる者もいるが、たいていは帰って来ない。北海道を飛び出して名を成した者で、思い出すのはナンシー梅木である。１９５７年にマーロン・ブランド主演の『サヨナラ』で東洋人で初めてアカデミー賞を受賞した人物である。ナンシーは小樽の生まれで生家は小さな鉄工所をやっていた。後に上京して兄が通訳をやっていた縁で進駐軍相手にジャズを歌っていたところ、キョードー東京の創業者・永島達司の助言でアメリカに渡って成功した。杉本良吉と厳冬の樺太国境を超えてソ連に駆け落ちした女優・岡田嘉子や石原裕次郎をプロデュースした水の江瀧子も小樽の生まれ。小樽は自由な気風を育てる土地といわれるが、さらにそこから飛び出る者が成功へと至るということか。

そして、北海道を飛び出した者たちには、自分を許容しなかった土地への愛憎の両面が渦巻いているようにも見える。こまどり姉妹の故郷の思い出は悲惨さに尽きる。生まれは厚岸町。父に連れられて樺太から道内の炭鉱を転々とする少女時代。小樽では漁港に落ちていた鰊を食いつないで暮らし、それもなければ道端の草を食べた。栄養のない身体にはノミも寄ってこなかった。そんな暮らしもままならなくなり、さらに釧路を流れて東京へ。内地の人が北海道に夢見る夢の大地などどこにもない。「江差恋しや鰊場恋し」などと歌えるのは、むしろ開き直りではないかと思う。

こうして記してみて、改めて感じるのは北海道民が持つ外に出て成功した者へのただならぬ敵意である。たしかに『ルパン三世』の作者、モンキー・パンチの故郷である浜中町のような例もあるが、北海道の外に出て成功した者は圧倒的に地元ではスルーされている。それこそ、藤圭子の死後に彼女の旭川時代を記事にしたのは『月刊北海道経済』くらいしか見ていない。札幌や函館など一部の都市圏を除けば、北海道には冒頭で記した阿部の指摘にある「都会に出ようとする若者への激しい嫉妬と物理的・精神的妨害」が強く根付いているのだ。

新幹線もできて道外に出やすくなった……からといって道民が外に出たがるようになるわけはない。そもそも関心がないのね

道民は確かに地元愛が強いわけだが、単純な地元愛というよりも「他の場所が怖い」という感情も内包しているとか。案外複雑なのだ

役人天国北海道のダメすぎる体質

北大が生む役人の楽園

役人天国北海道。日ハムが札幌ドームの使用料値下げを市に交渉したところ「どうせ出て行くはずがない」とふんぞりかえって逆に値上げを通告したら、本当に出ていかれたのは、この風土を如実にあらわしているといえる。

そんな役人天国の頂点が、北海道知事。もはや雲の上の存在である。東京のメディアがのこのこ出かけていって取材しようとすると、時の総理大臣に会うよりも難しい。通例、日本の地方行政では東大を筆頭として、中央の大学に進んで官庁に奉職したエリート層が国と地元とを繋ぐ役割を果たしているわけだが、北海道においては、これは通用しない。それは戦前から一貫している。公選制になってから今まで知事は8人いるがうち4人は道庁職員出身である。

いわば知事は、道庁の代表であり道民に選挙で選ばれたという意識が薄い。町村金五の後を継いだ堂垣内尚弘は典型例で、議会では職員に作らせた原稿がないとまったくアドリブが効かない。ついには、選挙の後に公邸にやってきたテレビ局のカメラの前で「なにもいっちゃいかんといわれとるのでさあ」と言い放ったという逸話が。議会では「読み屋」とヤジを飛ばされるのが、恒例行事になっていた。

これに輪を掛けて役人天国を醸成したのが、北海道開発庁である。道庁は北海道大学法文系が最大の学閥とされているが、これは平成に入ってからのこと。戦後は長らく北大土木学科から北海道開発局が最エリートコースになっていた。もともと北海道開発局は、1951年に田中敏文の社会党道政にダメージを与えようと道庁の土木部門を移管した部局。霞ヶ関の北海道開発庁が100人程度だったのに対して開発局は出先機関を含めて1万人規模。開発庁の事務次官は開発局の局長経験者のゴールだった。北大の始まりは、クラークがいた札幌農学校である。これが北海道帝国大学になったのは1918年。農・医・理・

工の順に学部ができて法文学部ができたのはようやく戦後になってからだった。戦前は道長官も公選ではなく、高級官僚は中央からの出向だった。つまり、北大出身者が道庁で存在感を強めたのは戦後になってからのことだった。その後トップとなるのは、農学部出身者だったり変化はあるものの、道庁では北大出身であることが出世の必要条件という世界が築かれてきた。

ダイナミックな汚職の歴史

歴史の章で、北海道の現代史で語り継ぎたい世界・食の祭典について触れたが、あれは道庁がいかなる組織であるかを示した事件であった。「公務員は全体の奉仕者」などといえば、なにを青臭いことを……というのが道庁である。道内には専門媒体が色々とあるので、そちらが詳しいだろうが常に汚職の噂は尽きない。でも、昔に比べるとまだマシなほうである。

1964年に『読売新聞』北海道版が「12万人の顔」という連載をうって、道庁の実態が全国で注目されたことがある。このとき、明らかになったのがまずカラ出張。不正の定番だが、昭和のころは方法もダイナミックである。どの課でも飲み代を精算するために職員が交代でカラ出張をして当時の金額で年間4億円あまりを捻出していたのである。出張しているはずが自席で仕事をしているのはまだマシなほうで、自宅でブラブラも当たり前だった。

さらに無茶なのは、300人にも及ぶ職員が偽名で働いていたこと。当時、臨時職員の雇用期間は4カ月までとされていた。しかし、これでは4カ月ごとに人が入れ替わるから効率が悪い。制度を変えればいいのだが、ここで誰かが考案したのが偽名を使うこと。4カ月ごとに同じ人物の名前を偽って、別人が働いているという書類をデッチあげていたのである。完全に不祥事なのだが、当時の道庁は今よりも強権的である。内部では情報を漏らした者を探し『読売新聞』に対しては「新聞のやることではない」と、自分たちが被害者かのごとく振る舞っていた。道庁のカラ出張などを駆使した裏金づくりが問題となり、7000人以上の職員が処分されたのは1995年のこと。いうなれば、それまでは数十年にわたって、こんなわかりやすい不正が常識になっていたというわけである。しかし、ほぼ道内出身者で占められ、カネを投じるための巨大機構である道庁が存在している限り不正の発生する構造はいつまでも消えない。

道庁は金を回すところ

元来、道庁の役割とは民間に金を流して道内に環流させるための巨大発注マシンである。国と道庁とから落ちてくる巨大な金額に建設はもとより、水産、農林などあらゆる業者がハイエナのように群がるのが北海道の経済の根幹である。

かつて、この機構が現在よりも強固だった時代には、発注を得るために各企業がこぞって集票装置となっていた。集票によって発注金額が変わるのは、北海道では常識であった。金のバラマキ先を監視するのは副知事の役割で、その上にでんと座っている最高権力者が知事である。だから、知事・副知事のいる本庁3階は松の廊下と呼ばれていた。この道庁支配構造の強固さを見せつけたのが横路道政の時代であった。「社会党のプリンス」と呼ばれた衆議院議員時代を経て、勝手連の支持で華々しく始まった横路道政だが、社会党なのにやっ

日ハムの本拠地移転は衝撃的なニュースだった。札幌ドームは札幌市のダメさを世に知らしめる役割を担ってしまった

っていることは自民党。三選もできたのは、まさにこれが理由だった。むしろ在任中に職員が収賄容疑で逮捕されたり、カラ出張が問題化したりと支配のゆるみで不祥事が漏れ出しただけであった。

こうした時代を経て、今は東京都職員から夕張市長を経て当選した鈴木直道道政が、1期目の半分を回ったところである。鈴木は新型コロナウイルス感染症のパンデミックにおいて、いち早く公立学校の全校休校を決めるなどして名を挙げたが、知事の仕事は多岐にわたる。最終的にその評価はどのように下されることになるだろうか。

一番悪い奴ら？道警もかなりヤバい

恐るべき道警の裏金の記憶

北海道警の不祥事を調べていたら、雑誌記事だけで1996年以降114件もあった。1年につき5回くらいは道警の不祥事がネタになっているというわけである。建前上、日本は法治国家ということになっている。いや、法治国家であるからこそ、むしろ暴力装置である警察は時として得体の知れない権力を振るうことになる。えん罪をおっかぶせる高知県警や、警察なのか暴力団なのか渾然一体とした神奈川県警など、全国にヤバい警察組織はワンサカとあるわけだが、道警はピカイチである。

道警のヤバさが、もっとも明るみになったのは2003年11月に『北海道新聞』がスクープした裏金問題だろう。これは旭川中央警察署で、捜査協力者が存在したことにして実在の人物の名前を勝手に使って費用を請求。そのカネを警察幹部が私的に流用した事件である。これまで多くの内部告発者によって全国どこでも警察が架空の請求で裏金をつくりプールしていることは明らかになっている。それも、捜査費用の捻出に用いるのならばまだ必要悪だろうが、明るみになった裏金は飲み食いや転勤者への餞別など、いわば闇の福利厚生費として使われていた。しかも、当時の警察本部長・芦刈勝治警視監は、これを頑として認めなかった。一方で『北海道新聞』の報道は続き、追い詰められた興部警察署長が裏金をつくっていたことを認める遺書を残して自殺。次々と裏金の事実が明るみになり、３２３５人もの処分者を出し、２億５６００万円が道に返還されることになった。

しかし、道警に自浄作用はなかった。処分されたとはいえ、もっとも重い処分は元北見方面本部警備課長の警視が停職１カ月となった程度である。しかもこれに対する道警の報復は激しかった。『北海道新聞』に対しては情報を教えないという嫌がらせが続き、裏金問題について書かれた本を元道警総務部長が名誉毀損であると訴訟までしたのである。そして、そうした報復にほかの新聞社は見て見ぬふりをするだけだった。この事件は道警の底知れぬ闇を暴くと共に日本のジャーナリズムの蹉跌ともなったのである。

モラルなき警察官がワンサカ

総勢1万人あまりの警察官を抱える道警。もちろん、理想に燃えた警察官もいるだろうが、道警の警察官が起こしてきた事件の数々を知ると、組織そのものが人間を腐らせる構造なのだと考えざるを得ない。たとえば、2020年10月には交通機動隊の警部補が虚偽有印公文書作成・同行使の疑いで逮捕されている。これは、パトカーに搭載されたレーザー式の速度計測装置を不正に利用して、スピード違反をでっち上げていたという事件だ。逮捕された警部補は58歳。定年まであと少しなのに、なぜここで人生を棒に振ってしまったのか。この背景として指摘されているのが、道警にはびこる「実績主義」である。要は取り締まりのノルマを上げないと勤務が評価してもらえないという組織の体質がある。ノルマに追われる警察官が不正を働くことが相次ぎ、2015年にも巡査長がシートベルトやチャイルドシートの装着義務違反の違反切符を捏造する不祥事を起こしている。

それでも、これはまだ事件としては小さい方だ。2002年7月に起きた稲葉事件は、道内はおろか全国から注目される事件となった。これは、生活安全特別捜査隊班長である稲葉圭昭警部が、覚醒剤や拳銃を所持していたとして逮捕された事件。当事者である稲葉は後に『恥さらし　北海道警　悪徳刑事の告白』（講談社）を書き、2016年には『日本で一番悪い奴ら』として映画化されている。稲葉の告白によれば、所持していた覚醒剤と拳銃は、銃器摘発のために道警銃器対策課と函館税関との合同による泳がせ捜査によるもの。道警では日常的に違法な捜査が組織ぐるみで行われており、自分は切り捨てられたとしている。この事件をめぐっては、北海道警釧路方面本部の生活安全課長が自殺し、稲葉自身も公判で違法捜査に関与していた上司の名前を挙げているが、まともな捜査が行われることはないまま幕引きとなった。

その後の裏金問題を経ても道警の体質に変化はないことを示したのは201

4年の奥村稔警視正の辞職であった。奥村は高卒で警察官になった後に道警本部捜査一課長や釧路署長などを歴任し、方面本部長も狙えるといわれていた、ノンキャリアの星だった。その経歴に終止符を打ったのは女性問題。報道によれば奥村は、釧路本部鑑識課次席兼調査官だった1995年に知り合った女性と不倫の関係になった。問題は、この女性の素性だ。なんと、複数回の逮捕歴がある「関係者の間では有名なシャブ中」だったのである。しかも、ふたりの関係が発覚したのは、この女性宅への家宅捜索において。何度目かの逮捕となった際に全裸の奥村の写真を複数枚発見。これをきっかけに、北見方面本部捜査課長時代にススキノのスナックのママと不倫していた事実、釧路署長に転勤する際には広域指定暴力団の二次団体組長から送別会を開いてもらっていた事実までが明らかになった。ただ、やっぱり処分が甘いのが道警である。発覚当時、九州管区警察局に出向していた奥村は、道警警務部付に異動の後に辞職として沙汰止みになった。処分は本部長注意とされたのみであった。

身内への甘さやトカゲの尻尾切りで組織を存続させてきた道警。やはり、問題は個人ではなく組織の体質にあるのか。

「諸悪の根源」呼ばわりも致し方ない北海道警。某小説家などはしつこく道警を題材に取り上げているし「ネタ」には事欠かない

道警のモラル問題には、他の県警と比べ「左遷地」がとんでもないところ揃いで、絶対に失敗ができない緊張感も影響しているとか

サービス四流と揶揄される道民の接客態度を実地検証

「いらっしゃいませ」ぐらい言えないの？

少し古い資料になるが、2003年に道庁が公表した『ホスピタリティの向上に関する検討結果報告書』に、こんな記述がある。

「道外観光客が道内観光に際し受けたサービスに対し満足したとする人の割合は、やや満足を含めて46・7%と極めて低い水準にあることから、自然は一流、施設は二流、料理は三流、サービスは四流、関係者の意識は五流、と揶揄される理由とも考えられます」

そんな風に揶揄されていたというのは初耳だったが、取材前から「サービスが悪い」という話は聞いていた。そんな指摘があるなら身をもって検証せねばなるまい。現地取材では道民の接客態度も注意深く観察していた。そこで、筆者が「サービスが悪い」と実感したエピソードをひとつ紹介したい。

道東の某JR駅構内にあった土産物店での話。花咲線についての写真集があったので、それを手に取りちょっと立ち読み(見本が読めるようになっていた)でもしながら、執筆の資料に使えそうなら購入しようと考えていた。パラパラと頁をめくっていると、バックルームからノソノソと中年男性がレジに向かって歩いてきた。筆者と店員との距離感はわずか1メートル。関東の感覚でいうと、ここで「いらっしゃいませ」のひと言ぐらいあるものだが、その店員はこちらを見ることとさえせず、遠くを眺めながら無言を貫いた。何ともバツが悪くなったので、筆者は飲み物を物色しようと本を置いたのだが、店員はちらっとこちらを見やると、そそくさとバックルームへと立ち去ってしまったのだ。これから奥にあるドリンクコーナーに行こうと思ったのに、まさか店員がいなくなってしまうとは思わず、ドリンクを購入する気さえ失せてしまった。観光地でここまで無愛想な接客を受けた記憶はあまりない。しかも、物産店なのだから、もうちょっとおもてなしの精神があってもいいいんじゃない!?

この人だけの特殊な例なのかもしれないと思っていたが、ほかにも道内各地で素っ気ない接客をされたのは事実だ。旭川の某飲食店は、ろくに「いらっしゃいませ」も言わないし、むしろ閉店間際ということもあって、かなり迷惑がっているような態度を取られたこともある。道民にとっちゃあこんなことは日常茶飯事なのかもしれないが、サービスは四流と揶揄される意味がよくわかった気がした。

接客が悪いのは男性だけ？

このように接客でイヤな目に遭ったのは間違いないが、取材を通していうと、そこまでサービスが悪いとは思わなかった。サービスの悪さよりも愛想のよさを感じる機会が多かったからだ。

たとえば、今回の取材では道内各地のセコマを訪れたが、どこもかしこも接客態度がいい。それもマニュアルどおりというだけでなく、すこぶる自然体なのだ。オホーツク海側の某セコマでは、こちらが何も聞いていないのに「お兄さん、どこから来たの？」と声をかけてくれたこともある。馴れ馴れしい接客が嫌いな人にはうざったいのだろうが、筆者はこうした人懐っこい接客が大好物である。その店ではほかに客がいなかったこともあり、ついつい5分ほど話し込んでしまった。

ほかにも旭川では、某有名ラーメン店の女将さんが、その店の流儀を細かに教えてくれたりして、「いい人たちだなぁ」と感じることが多かった。悪い接客よりもいい接客のほうが印象に残っている。

ではどうして接客に差が生まれるのかを考えてみた。まず地域差というのは関係なさそうだ。同じ地域でもいい接客をする店もあれば、悪い接客をする店もあったからだ。では、チェーンか否かで分かれるかというとそうでもない。そこで筆者が行き着いたのは、男女差である。接客態度がいいと感じたのは、みな女性店員だったのだ。セコマに立ち寄るのは女性店員が多い日中ばかりだったし、居酒屋や飲食店でも女性店員は誰もが愛想がよかった。

前章でも述べてきたように、道民は文献やデータからも男女の生活習慣や考え方の差が著しい。女性のほうが健康リスクの高い生活をしていたり、男性のほうが考え方が穏やかだったりもする。では、なぜ接客態度では女性がよくて、男性が悪いのだろうか。

よく道民女性は肉食だといわれるが、その根本には道民女性のコミュニケーション力の高さがある。道民男性は物静かで寡黙なので、女性から積極的にならなければならない。あるいは女性がよくしゃべるので、男性が話さなくなったのかもしれない。どちらが先かは判然とはしないものの、それこそ道民女性が強いといわれるゆえんのひとつだろう。もしかしたら、すすきのや末広町などの夜の店で培ってきたのかもしれないといったら、あまりに突飛ではあるが、そう感じるぐらい男女の構図がハッキリしている。

ただ、共通しているのは男女ともに素直なことだ。接客態度の悪かった男性店員は、ほかにも作業があったのかもしれないし、虫の居所が悪かったのかもしれない。愛想のいい女性店員は、もしかしたら筆者に気があったのかも……というのは冗談で、思ったことを素直に口にするので、なれなれしい接客になったりもするのだ。まあ、男性店員ばかりに遭遇した人は「サービスが悪い」って感じるかもね。

北海道流サービス被害者の意見
「いらっしゃいませ」を言わない
「ありがとうございます」も言わない
そもそも敬語を使わない
客を友人か何かと勘違いしている
客の前を横切るのは当たり前
接客中はほかの客に気が回らない
なぜか店内に店員がいない
おつりを投げる
制服を着ていても平気で路上喫煙をする
注文よりも携帯優先
注文したメニューが来ない
オススメを聞いたのに「知らない」
閉店時間が近くなると店員がイライラする
一見と常連とで露骨にサービスが違う
買わないとわかると即座に立ち去る
並んだり待たれたりするのを嫌がる
スマイル0円どころか金を払っても笑わない
客が並んでいるのに店員同士が雑談
タクシーに乗ったのになぜかキレられる
タクシーなのに客が言い出すまで行先を聞かない

※各種資料により作成

仕事なんてやりたかねぇ！
低賃金の原因は道民の根気のなさ

巷でいわれる「給料が安い」は誤解!?

北海道のウィークポイントを探すにあたり、よく目にしたのが「北海道は賃金が安い」というワードだ。確かに北海道に移住した知人は「こっちは物価も安いけど、給料も安いよ。実感としては東京の3分の2ぐらいって感じかな」と話していた。

というわけで、さっそく北海道の賃金にまつわるデータを調べてみた。厚生労働省が発表している「賃金構造基本統計調査（2019年）」によると、トップは東京の379万円で、北海道は280万8000円。およそ99万円の差額だから、ボーナスなどを考えずに月収で換算すると約8万6000円ほどの差がある。知人のいうように、東京と比べると賃金格差は確かにある。

しかし、北海道の賃金は都道府県別では23位で、全国では中の中。全国平均の３０７万７０００円を下回っているとはいえ、そもそもこの平均を超えているのは東京都、神奈川県、愛知県、大阪府の４つだけだ。この４都府県は日本を代表する大都会ばかり。北海道の賃金は、道民が嘆くほど低いわけではない。

フリーターとニートがいっぱいの「ゆとり天国」

では、「北海道が給料が安い」というのは単なるデマに過ぎないのかというと、そうでもない。詳しくは２７８頁で後述するが、そもそも北海道は市町村の所得格差が激しい。しかも、苫小牧市、旭川市、釧路市といった人口が集中している都市部が道内の平均所得を下回っている。札幌市でさえ道内31位という体たらくである。

なぜ都市部の所得が低いのかといえば、平均という数式の仕組みに答えがある。どれだけセレブが多くても、同じ数だけビンボー人がいたら平均値はいっこうに上がらないのだ。これと同じ現象が北海道の各都市で起きていると考えられる。

北海道はパートタイマーが全国と比べても多い。男性は7万8590人で全国8位、女性は24万610人で全国7位と高水準だ。しかも北海道はパートタイムの就職者数に対する求人件数の割合が全国でも最多なので、パートタイムをやろうと思えばいつでも職にありつけるとあって、フリーターにとっては天国である。

そもそも道民は職業に対する責任感というか、粘りが感じられない。かつて筆者が勤めていた会社で北海道出身者（市町村は失念）を雇用したのだが、昼休みとともに姿を消し、そのまま音信不通になった者がいる。これは極端な例ではあるが、事実、北海道は離職率が全国トップである。失業保険をもらうために「自己都合ではなく、会社都合で！」と主張する人が多いというウワサも耳にしている。

とある帯広人によれば「次男とか三男で家業を継がなかったヤツは、ろくに働かない穀潰しがいっぱいいる」そうだ。そのせいかどうかはわからないが、就職内定率もワースト5位で、ニート率（若年無業者率）もトップ10圏内を行き来している。自由で大らかな気風がニートやフリーターも許してしまうのだろうか。はたまた、単に怠け者が多いのか。よく「ゆとり世代が〜」なんて話題が上がるが、道民は世代に関係なく「オールゆとり」といえるのかもしれない。

統計ではわかりづらい道民の職事情

フリーターもニートも多いし、せっかく就いた仕事も長続きしない。そんなこんなで、北海道は人口1000人当たりの生活保護人員が全国2位と、かなり高い。「ま、いっか」と、ぬるま湯に浸かって道や国に依存している者が多すぎるのだ。そのため、北海道の都市部では、億万長者がどんなに稼いでも、稼がない人が足を引っ張り、結局平均所得は下がる。また、パートタイムの求人数が多いというところに、事業主側も安い賃金で何とか済ませようとする思惑が垣間見える。

さて、統計上では決してわからないシングルマザーの収入についても言及しておきたい。実は北海道の生活保護受給費の内訳を見ると、生活保護教育扶助が非常に多い。要するに小中学生の子供の教育費である。こうしたシングルマザーのうち、無視できない数の人々が、すすきのか末広町を目指す。というのも、生活保護費を受け取りながら、夜の店で働けば一挙両得だからだ。普通、生活保護費を上回る収入があると、その時点で打ち切られるのだが、夜の店の多くはたいていニコニコ現金払い。証拠がまったく残らないので、働いていることがバレない。生活保護費とキャバクラで荒稼ぎなんてこともできるのだ。そりゃあ低賃金で働く意欲のない旦那を支えるよりは、よっぽど効率がいい。あくまで「そういう人もいる」という話ではあるが。

北海道の雇用や賃金の形態は、基本的に離職率と離婚率の高さによって、かなり捻じ曲げられている。いずれにしても道民の「根性がない」「我慢できない」享楽的な生き方がよくあらわれているといえよう。同じ苦労をしている人といっても、その内実は他都府県と多少違うのが北海道なのである。

都道府県別最低賃金

順位	時給	都道府県(前年比)
1位	1,013円	東京(0円 0.00%)
2位	1,012円	神奈川(+1円 +0.10%)
3位	964円	大阪(0円 0.00%)
4位	928円	埼玉(+2円 +0.22%)
5位	927円	愛知(+1円 +0.11%)
6位	925円	千葉(+2円 +0.22%)
7位	909円	京都(0円 0.00%)
8位	900円	兵庫(+1円 +0.11%)
9位	885円	静岡(0円 0.00%)
10位	874円	三重(+1円 +0.11%)
11位	871円	広島(0円 0.00%)
12位	868円	滋賀(+2円 +0.23%)
13位	861円	北海道(0円 0.00%)

31位	792円	秋田(+2円 +0.25%) 鳥取(+2円 +0.25%) 島根(+2円 +0.25%) 高知(+2円 +0.25%) 佐賀(+2円 +0.25%) 大分(+2円 +0.25%) 沖縄(+2円 +0.25%)

※厚生労働省公表値より作成

超がつくほどの車社会 肝心の道路はトラップだらけ

500メートル先でも車を使うのが常識

北海道は札幌市や旭川市などの都市部をのぞけば、完全な車社会である。最大の理由は言わずもがな「でっかい道」だからである。しかし、都市間の距離もさることながら、道民の生活にどれだけ車が浸透しているのか思い知らされる体験をした。

筆者は道東を巡る際、東京で知り合った友人が住み込みで働いている宿に格安で滞在した。宿に到着するや否や、友人が「夜の酒を買いに行こう」というので、荷物を置いてさっそく近所のスーパーまで向かうことになった。宿に到着する前に、目的地であるスーパーを通ってきていたので、だいたい5、60

0メートルほどの距離感であることはわかっていた。そのため、筆者は車のキーを持たずにおもむろに玄関を出たのだが、そこで友人が面目なさそうに「あ、車で……」とつぶやいたのだ。彼は東京からの移住組であり、3年前は都会で暮らしていた。道民は信じられないかもしれないが、東京では500メートルくらいは普通に歩く。電車や車に乗るほうがめんどくさいし、健康にもいいからだ。

だが、そんな都会で暮らしていたはずの友人が、「これぐらい離れていたら道民は歩かない」というから驚きを隠せない。ちなみに目的のスーパーまで徒歩で行ったことはないそうだ。これぞ北海道の車社会かと、しみじみ感じながら部屋まで車のキーを取りに戻り、買い物に出かけた。道民にとって、車はまさしく「日常の足」なのだ。

このような車社会が形成されたのは、1986年に国鉄が民営化されたことが大きい。民営化によって全国で赤字路線の再編が進んだが、北海道では廃止となった路線が全路線の約3割に及ぶなど、全国と比べて多かった。交通手段を道路交通のみに依存する市町村は約半数にのぼり、当時は全交通機関に占める自動車の分担率も約9割にも達した。そのため、北海道では交通インフラの格差を是正するために道路交通網の整備を余儀なくされたのだ。1971年には47キロしかなかった高速道路は、2021年現在、1183キロにまで延長されている。

日高道にあるナゾの凹凸は何かのトラップなの⁉

目下のところ早期完成が望まれているのが道東道だ。「上から読んでも下から読んでも道東道」なんて、くだらないギャグを飛ばしていたのは釧路の居酒屋で出会ったオッチャンである。それはともかく、釧路人としては道東道が開通すれば、札幌道への接続が断然楽になり、利便性は格段に上昇する。釧路と札幌はそれほどかかわりがないように思われるかもしれないが、けっこう両都市間での往来は多い。末広町で札幌人に出会うこともあれば、すすきので釧路人に出会うことも多い。というわけで、ジョークを飛ばしたくなるほど待ちわびているということもいうわけだ。

ただ、釧路人よりも道東道を待望しているのは日高人だろう。筆者は日高地方の太平洋沿岸部を通って、道東を目指したのだが、日高はとにかく道が悪い。一般道もひどいのだが、それにも増して日高道は最悪だ。ほとんどの区間が片側1車線で追い越しができないだけでなく、ナゾの起伏があちこちにある。つい調子に乗ってスピードを出すと、すべての車輪が宙に浮くことさえあった。

こうなってしまったのは、日高道の周辺一帯が牧場地帯で、さらに工業地帯の苫小牧にまで接続しているので、一般車よりもトラックのほうが多いため、路面がひときわ傷みやすいのだろう。ただ、それを差し引いたとしても、あまりに整備の不備がありすぎる。そんなわけで日高人は、道東道開通に合わせて道路整備を望んでいるはずだ。まあ、観光資源は馬ぐらいしかないので、利便性が高まったところで、またトラックが増えるだけかもしれないが……。

一般道でも100キロ超！　気をつけるのは警察よりもシカ

ただ、北海道で高速道路がどれだけの意味を持つのか、ちょっと懐疑的にならざるを得ない。札幌・釧路間などならまだしも、帯広・釧路間だったりすると、わざわざ高速道路を使う必要もない。なぜなら、一般道も超がつくほどのロングストレートで道幅も広いので、本当はダメだが、だいたい１００キロぐらいのスピードでみな走っている。むしろ高速道路が片側1車線だと一般道のほうが早く着くこともある。そのため、道民の目的地までの予測時間はカーナビよりもかなり短い。たとえば、釧路から網走までカーナビでは2時間ほどと表示されるが、道民の感覚では1時間30分ぐらいとなる。あくまで路面が凍結していない春から夏限定の話だが。

さて、そんなふうに車をかっ飛ばすとき、道民がもっとも気をつけるのが野生動物である。とくにエゾシカは高速道路だけでなく、市街地にもいる。エゾシカを轢くと、たいていの車が大破するので修理代もハンパないそうだ。行く先々で「エゾシカに気をつけていってらっしゃい」と何度声をかけられたことか。ちなみに筆者はシカと遭遇することはなかったが、タンチョウは見かけた。車体は浮くわ、エゾシカもツルは出るわ……北海道の道路はマリオカートばりにトラップだらけである。

北海道(特に道東)の道路はどこもかしこも超ロングストレート。一般道でも追い越しは普通で、猛スピードでかっとばす

写真ではわかりづらいかもしれないが、日高道にはナゾの凹凸がそこかしこにあり、さながらリアルマリオカートであった

教育レベルは中の下で安定裏社会で少年に危機が！

実は心の奥底に抱く教育コンプレックス

北海道新聞社発刊の『札幌人気質』という書籍にこんな件が記されている。

「小学校での授業時間数の少なさを、私は今でも札幌というか、北海道全体が教育に熱心でなかったことのあらわれと考えている。時折このことを話題にすると、根っからの道産子、札幌人からは『全国でも名うての教育県といわれる長野県と比べるのは酷だ』、『開拓時代には、教育に向けられる関心は二の次、三の次だった、という事を考慮しなくては……』という反応が返ってくる」

人は自身が抱えるコンプレックスを指摘されると、自身を擁護する傾向がある。その点を踏まえて、こうしたリアクションを考えると、道民には多かれ少なかれ教育コンプレックスがありそうだ。

本書を執筆するにあたり、なるべく自然体の道民と話すために、あえて知人などの関係を辿って、ときには酒を酌み交わし、ジョークを言い合いながら語り合ったのだが、軽い気持ちで「バカだなぁ」「アホやん」などと言うと、急に顔色が変わり、「そういうことを人に言うもんじゃない」と説教を喰らうことがあった（特に男性が多い印象だった）。ひとりだけならまだしも、複数がそのようなリアクションだったので、知性をけなすような言葉はあまり好かないらしい。はたと、ある釧路人が「関西系のノリは好かない」と言っていたことを思い出した。おそらく関西人は「アホ」をよく使うので、ジョークだとわかっていても、連発されると頭に来るのではないかと推測する。ちょっと教育コンプレックスとは趣旨が異なるかもしれないが。

それはさておき、教育レベルについて道民が劣等感を覚えるのも無理はない。実際問題、数字としてみると北海道の学力は全体的に低い。これについては後の項で詳しく触れるとして、教育レベルがよろしくない場合、表面化しやすいのは子供の不良化である。

大都市で悪さをした「半グレ」がついに上陸!?

道内各地でワル事情を聞いてみたが、返ってくる答えはたいてい「最近は全然見ない」の一言である。暴走族については、札幌で「ときどき暴走している人がいる」ぐらいで、もはや北海道のヤンキーは絶滅寸前のようだ。道警の発表によれば、道内のすべての暴走族は解散状態にあり、2018年時点でひとつのグループの存在を確認しているだけだそうだ。つい10年ほど前までは、バイクに乗らず、街中を闊歩(?)する「徒歩暴走族」が話題を呼んだが、それも今や鳴りを潜めている。徒歩暴走族はもともと北海道が本家とされるが、今や兵庫県姫路市の風物詩。そもそもの成り立ちとして、雪の多い北海道では、バイクに乗れない時期が長すぎるため、暴走族は歩くしかなかった、というのが一応の「定義」なだけに何となく寂しい気もするが、これも時代の流れなのだろう。もちろん旧車會と呼ばれる元暴走族のメンバーで組まれた大人版暴走族もいるにはいるし、ときどき暴走行為を行っているが、あくまで大人として仕事を持っているメンバーが大半なので、警察に捕まるような無茶をすることは少ない。

だが、こうしたバリバリのヤンキーに変わって闇の世界を暗躍しているのが「半グレ」である。東京では10年ほど前から有名な半グレ集団が様々な犯罪を行って問題となっていたが、近年は道東を中心に北海道にも上陸している。半グレは、流行のパリピファッションに身を包んだヤサ男風も多くおり、パッと見では一般人とさほど変わらない連中もいる（見た目から暴力団系やギャングファッションな半グレも多いが）。そのため、なかなかワルなのか判断がつきづらいからタチが悪い。

半グレは暴力団に対する暴対法のような、強力に取り締まるための根拠となる法律がまだまだ十分でなく、２０１３年に「準暴力団」という規定がつくられたが、半グレが猛威を振るった東京や大阪に比べ、その「活躍」があまり目立っていない地方では、その対策の進み具合もマチマチだ。

また、かつての暴力団のように事務所や看板を立ち上げないため、実態がわかりづらく、繁華街などで知り合った若者たちを次々と勧誘して勢力を拡大していく特徴がある。ここに稼げなくなった元暴力団員が加わると、さらに悪質化していくのだ。

おそらく道内で半グレが本格的に活動し始めたのは2018年ごろだ。というのも、半グレのシノギとして挙げられる大麻関連犯罪（大麻は覚醒剤などに比べてあらゆる意味で「緩い」ため、本職だけではなく半端者でも手を出しやすい）での検挙人員が、2018年に108人だったのに対し、2020年には277人と急増しているからだ。そのうち暴力団などが関係しているのはわずか46人。年齢別では20代が最多となっており、未成年も前年より倍増した。

半グレには、全国各地のヨソ者が「流れてきて」悪さをしているケースも多く、地元への帰属意識が薄い。暴力団のような伝統もルールも存在しないため、かえって一般人にも危険が及ぶことが多くなる。昨今の傾向では、法律でがんじがらめにされた暴力団の下請けと化す半グレも多く、少し前の「大人になったヤンキー」よりも、より高度な犯罪集団になってきているのが現実だ。北海道は、このまま裏社会まで東京化してしまうのだろうか……。

道東あたりで増えているという半グレは、地域社会に深刻な被害を与える。とくに少年に与える影響は計り知れない

昔ながらのチャキチャキ系ヤンキーは減少中。でも、港町に行くとけっこう怖そうなオジ様たちを見かけることもあった

学力格差が激しすぎる北海道衰退の原因はこれか？

北大以外は内地で誰も知らない

北海道には多くの学校が存在する。北海道大学を頂点とする道内の学歴社会だが、とにかく大学の数が多い。国立大学だけでも7校もある。加えて公立は6校。私立大学は24校も存在する。これが前の章で示した北海道民が内地へと進学する意思を、そもそも持たない要因ともなっている。ただ、大学の数は多いのだが充実しているかといえば謎である。道内の内向きな気質もあってか北海道大学を除いては、内地では「そんな大学聞いたこともない」といわれるものばかりである。北星学園大学は北海道では私立の名門だが、津軽海峡を越えたら誰も知らない。むしろ、北海道大学以外で内地の人間が知っているのは藤女子大学くらいである。なんで知っているかといえば、中島みゆきの母校としてである。北海道大学は唯一、道外からの進学者が７割を超える大学となっているが、これは例外的である。

一方、北海道でも大学進学にあたって流入者に対する流出者の数は年々増加の傾向が見られる。それでも、２０１６年度の数値で北海道の高校を卒業して大学進学した２万５５４人のうち、道外を選択したのは６７６０人。対して道内は１万３７９４人となっている。だいたい毎年３分の１くらいの若者は「やってられるか」と北海道から出ていっているというわけである。

実際、北海道大学に進学する人を除けば、わざわざ北海道の大学を選択する理由は皆無である。あるとすれば、大学に進学したいが成績がいまいちふるわない受験生が、滑り止めとして全国の国立大学で偏差値最下位の室蘭工業大か次点クラスの北見工業大学を受験するくらいである。北海道の大学というのは、道内出身者のために技術を習得させる職業訓練校のような役割のほうが大きいのだ。道内出身者を成績の優劣でうまいこと振り分けているようなものだから、偏差値が低いのも当たり前である。

学力の低さで北海道は衰退中

それでも、やっぱり北海道民は根本的に学力が低い。なにしろ、全国学力・学習状況調査では常に全国下位クラスである。2018年には中学校の国語Aと理科で全国の平均正答率を上回ったとされているが全体的な状況は芳しくない。たとえば、小学校国語Aの平均正答率は全国70・7、全道70・1なのに対して、日高の62・1をワーストにオホーツク、根室、宗谷など半数以上の管内が全道平均以下に。小学校算数、中学校国語・数学も状況はほぼ同じである。

北海道教育委員会の報告書では教科全体の状況を各市町村別のデータの中に公開している。たとえば、夕張市の小学校では正答率で全国を100とした場合に国語のあらゆる分野で80を切る。算数でも量と測定で90程度。理科の地球に関する領域では50以下である。つまり、夕張市の小学生は全国平均に対して8割くらいしか文章の読解力がない。50以下になっている理科の地球とは小学校3年生以上の内容のことで、太陽や月の動き、天気や植物などがこれにあたる。50以下ということは、地球が太陽の周りを回っていることすら理解されているか不安になりそうだ。

これまで北海道の学力の地域格差は様々な研究がおこなわれているが、いかんせん学術的研究なので言葉が難しい。よく使われる表現は「産業従事者割合、職業従事者割合、大学・大学院卒業者割合、大学進学率との関連」が強いことや「学習時間の長さと学習塾に通う割合は地域の産業、職業、学歴、進学率と相関関係がある」というもの。難しい言葉が使われているが、要は地域ごとの学力の差を生んでいるのは、親の職業と地域の環境ということ。先に230頁で触れたことをデータとして裏付けているわけである。

日本において貧困の研究が進んだのは1990年代後半からだが、この時からくり返し語られているのは、親が文化資本を持たない、読書をしたり教育の重要性を理解していない家庭は学力も低く貧困層であるという事実である。もちろん、そこから這い上がってくる者は素晴らしいの一言なのだが、早い時期に「勉強して、この地域から脱出しないと人生お先真っ暗だ」と気付くことができる人は幸運である。たいていの人は、地元から出ないまま就職。一部の成績のよいヤツは地元か道内の大学に進学することだけがスタンダードな人生のルートだと信じて疑わない。周囲も等しく学力は低いので、気づきの機会がない。札幌を含む石狩管内を除けば大抵の地域では、小さな村で生きることが固定化し、学力を向上する機会も意思も持ち合わせていないのが、北海道なのである。

ただ、ここで重要なのは地域によって教養の濃淡があることだ。この本の執筆にあたっては様々な地域の出版物を集めたのだが、えらく偏りがあった。たとえば、留萌といえば増毛まで走っていた鉄道が部分廃線となり、いよいよ全面廃線になろうとしている地域である。道内の人ですら、そんなに行く機会のある地域とは思えないのだが、地域の歴史や文化を記した出版物がやたらと多い。これは、ほかの地域では見られない傾向だ。

要は地元民が書いた郷土史や地元の文化を記したような本が出版されているような地域は、教養を持った人が多い地域ということだ。ただ、図書館に並んだ本を見れば一目瞭然だが、かつては産業があって人口も多かったのにそうした出版物が極めて少ない地域もある。そうした地域では、産業の衰退と共に加速度的に学力の低い地域となっている傾向が認められるのである。

文字通り北海道を代表する北海道大学。ただし、立地もよく広大でのんびり学べるため、自由奔放な学生も多い

高校の名門札幌南。典型的な公立トップ校で成績は優秀だが素行がおかしい生徒を多数輩出してきた。最近は多少落ち着いたとか？

億万長者は多いがビンボー人はなお多い

とんでもない金持ちもいる北海道

ニセコあたりの豪邸を世界中の富裕層が買い漁り、カネが唸っているようにもみえる北海道。これまで北海道で財を成した者は数多く、明治から大正にかけて建築された鰊御殿の多くは今は文化財となっている。

いま、北海道でもっとも金持ちとされるのはニトリホールディングスの似鳥昭雄。保有株の配当収入だけで約13億円を得るという全国でも指折りの大富豪である。一方、北海道経済界のドンといわれるのが、伊藤組土建名誉会長の伊藤義郎だ。テレビ北海道の初代社長や札幌大学理事長、札幌証券取引所社長、NHK経営委員などを歴任した道内の名士中の名士である。その自宅たるや、隣の京王プラザホテル札幌と同等の敷地を持ち、向かいの北海道大学植物園から続く公園としか思えない立地であった。現在は地上30階建ての高級マンション、ラ・トゥール札幌伊藤ガーデンとなっている。北海道の家賃水準から考えると誰が借りるんだという家賃なのだが、人気は高く住人の7割が道内出身という札幌随一のセレブゾーンとなっている。元知事の高橋はるみが引っ越したことでも話題になった。

そんな北海道の中でも屈指の金持ちエリアとして全国に名を轟かせているのが猿払村である。この村が話題になったのは、２０１５年頃から。住民ひとり当たりの年間平均所得が道内1位、全国でも5位の６２６万円と報じられたのである。北海道というと人口の多い札幌市や函館市あたりが所得も上位にランクしていると思われるが、そんなことはないのである。

猿払村はダントツだが、それ以外にもランキング上位の常連になっているのは安平町・興部町・湧別町などである。安平町はチーズ発祥の地といわれる酪農の地、興部町も酪農と水産で稼ぐ土地である。猿払村の場合はホタテ漁の繁栄によって、収益を挙げているのである。

植民地みたいなモノカルチャー経済

猿払村は村民の10人にひとりが漁師という水産に依存した自治体である。もともとは天然のホタテを水揚げしていたが1976年に稚貝を漁場にまく「育てる漁業」に転換。質の向上によって猿払村産のホタテをブランド化することに成功して、全国屈指の繁栄に至っている。

しかし、光あるところには影がある。この猿払産ホタテの繁栄を支えているのは、半ば奴隷然とした労働である。猿払産のホタテは水揚げの後に殻を剥いて加工されて出荷されていく。この加工場の労働者の多くを占めるのが外国人研修生である。2020年3月の国際協力機構（JICA）の資料によれば猿払村の属する宗谷郡は人口2766人に対して在留外国人159人となっている。実に人口の5・75パーセントが外国人、中でも中国人の数が圧倒的に多い。これまでも多くの報道で触れられているが、外国人研修生を雇用する理由は、国際交流に熱心なわけではなく単に賃金を安く抑えられるからである。実際、猿払村は「実習生なしでは村はもうやっていけない」と村人も認めるところ。そして、外国人に支払われる賃金は、最低時給程度という状況がまかり通っている。これまで多くの報道であたりまえの人権すら認められない劣悪な労働環境も暴露されている。かつて和人がアイヌを酷使していた時代と、やっていることは大して変わらない。

そして、このホタテによる繁栄もいつまでも続くものかはわからない。これは戦後に鰊御殿の建つ地域は、今はたいてい過去の繁栄の名残を残している。鰊の不漁が続いたことが原因だ。猿払村の場合、育てる漁業とはなっているが、それでも自然環境の変化は必ず訪れるものである。そうなった時に、売るものがひとつしかない村の衰退は必然である。結局、猿払村の繁栄は植民地的なモノカルチャー経済にすぎないのだ。かつて欧米が植民地にプランテーションを建設し、単一作物のみで財を得たのと一緒である。

そうして財を成した人々はたいてい経済の変化で滅びた。刹那の繁栄は続かないことを歴史は何度も証明している。この村に留まらず、うまくいっている内実は外国人を低賃金で酷使して所得を維持しているだけなのが、北海道の一側面でもある。

どうしようもなく貧乏な街もある

奴隷労働で繁栄する地域がある一方で、北海道全体はとにかくビンボーだ。大地は広いが仕事は十分とはいえない。2019年度の一時期を除いて完全失業率は常に全国平均を上回り、とにかくビンボーな地域が多い。

前述の猿払村が注目された2015年の数値だと、猿払村が平均626万円の所得を得たのに対し、旭川市は268万3000円。釧路市は266万2000円。札幌市ですら302万2000円しか得ていない。ワーストの上砂川町に至っては200万円。ほか歌志内市は212万8000円、夕張市は213万7000円である。これら超ビンボーエリアに共通しているのは、もとは産炭地だったということ。要はモノカルチャー経済から転換に失敗した地域なのである。結局、北海道の所得格差とは、内地に顔を向けて産物を送り出すシステムの上部にいるものが、下部を搾取することによって発生しているのだ。もはや産業構造が、全体で豊かになることを拒否する構造といえるだろう。

和人が進出して以来、日本一の貧富の差を誇って（？）きた北海道。今もそれは残り、とんでもない大金持ちも存在する

ビンボー人のレベルも高い（？）が、むしろ炭鉱など、きついが給料は良い仕事でビンボー人を再生させてきたのが北海道でもある

災害のイメージはないが十分に危険な北海道

迫り来る野生生物の恐怖

2021年6月下旬、札幌市の住宅地にヒグマが出没し、自衛隊駐屯地を襲撃する騒動が起こった。人口密集地に入り込めばあわやの惨事となることだった。内地で危険な生物といえば、たいていの地域ではマムシとスズメバチ程度。あとは地域によってツキノワグマである。

しかし、さすがは北海道。危険生物の多さは群を抜く。マムシとスズメバチは当たり前のように棲息しているし、クマは内地とは違いヒグマである。吉村昭の『羆嵐』は1915年の三毛別羆事件を描いて名高いが、ヒグマは常に危険である。ヒグマは見た目からして危険だが、近年になってようやく内地にも危険性が認識されるようになってきたのがキタキツネである。人の生活圏にまで入ってくることが問題になっているが、キタキツネの怖さはエキノコックスの中間宿主となっていること。この寄生虫が人間の体内に取り込まれると10～20年ほどの潜伏期間を経て発症し、肝臓を冒されて死に至る。その見た目とは裏腹にキタキツネは小さな殺し屋といえるだろう。このエキノコックスの存在ゆえに、北海道では生水は絶対に飲んではならない。そこいらを流れている沢の水まで危険とはなんと恐ろしい。

さらに、遭遇しがちな危険生物がエゾシカである。北海道では道路に出てきたエゾシカとクルマが衝突する事故がけっこう多い。クルマであればシカよりも強いのだが、それでもクルマの破損は逃れられない。これがオートバイだったらシカも怪我するがオートバイの転倒は避けられない。北海道ツーリングを楽しむライダーの間では、エゾシカは特に注意すべき生物となっている。これが人間とエゾシカの群となると完全に人間の敗北である。襲われて食べられることはないが、群に囲まれて体当たりなんかされると軽い怪我ではすまない。常に野生生物に襲われる危険がある大地。それが北海道である。

梅雨もないのに危険すぎる

梅雨がなく夏は過ごしやすい北海道。でも、災害は当たり前に多い。近年では、夏から秋にかけて北海道も台風の被害を猛烈に受ける。２０１６年には8月7日から30日にかけて4つの台風が次々と上陸し、各地で河川が氾濫し大きな被害を受けることとなった。この台風による被害は大きく、一部市町村は局地激甚災害に指定。ＪＲ北海道は、石勝線・根室線が被害を受け運休もあって40億円あまりの減収をこうむった。さらに農作物の被害は甚大で収穫に大きな遅れをもたらした。キユーピー・アヲハタコーンを製造している日本罐詰株式会社十勝工場ではアヲハタ十勝コーンの販売を中止。カルビーは原料のジャガイモの確保が難しくなったため、ポテトチップスなど多くの商品の販売を一時休止するなど、影響は全国に及ぶこととなった。

北海道が常に危険性と対峙しているのが、地震とそれにともなう津波である。２０１８年9月6日に発生した北海道胆振東部地震は観測史上6例目となる震度7を観測。札幌市でも震度5が観測され、死者は36人に達した。

地震により、北海道のインフラの脆弱さも明らかになった。苫東厚真火力発電所ではボイラー管が破損したことで一部の発電所が停止、これによって連鎖的にほかの発電所も停止し、一部の離島を除いて道内がほぼ電気の供給を断たれるという北海道電力始まって以来の大停電となった。

地震にともなう津波の被害も北海道はたびたび被っている。１９９３年７月12日に発生した北海道南西沖地震では、奥尻島に津波が押し寄せ２０２人が死亡する大惨事となっている。北海道で歴史史料に津波の記録が現れるのは18世紀ごろからだが、太平洋岸も日本海岸も幾度となく津波に襲われている。２０２０年に内閣府が発表した北海道から東北地方北部の太平洋側を震源とする巨大地震では、千島海溝で国内最大のマグニチュード９・３、東北沖の日本海溝で９・１の地震が発生した場合にはえりも町から根室市にかけては10〜20メートルの津波に襲われるとしている。とりわけ千島海溝は巨大な地震の震源域となっていて、地震が発生した場合には北海道や東北地方に巨大な被害をもたらすことが危惧されている。

そして、北海道には火山の噴火という被害もある。とりわけ、よく話題になるのは有珠山だ。有珠山は周囲に温泉地もあり観光スポットとして知られている。一方で噴火が起これば観光産業が被害を被るという二面性がある。近年では2000年に大きな噴火が起き、鉄道や道路が一部破損。観光業でもキャンセルが相次ぐ被害となった。ただ、有珠山のふもとに暮らしているだけあって、この地域では避難訓練や噴火への備えも行き届いており、人命にかかわるような大きな被害には至っていない。本来なら、すべての災害に対して有珠山なみの備えがあってしかるべきである。

なかなか想定しがたい危険生物も多く棲息し、内地から足を踏み入れるには覚悟が必要な北海道。でも、もっとも危険なのは道民なのである。歩行者が少ないから一般道でも運転は荒いのが当たり前。1970年代には北海道は釧路市が全国の犯罪都市トップ。苫小牧が3位となったこともある。その時代から比べるとマシになっているかもしれないが、当時は暴力事件と窃盗犯がやたらと多かった。大抵の「犯罪都市」の実態は、自転車泥棒がやたらと多いといった類いであるが、北海道の場合は、もっと「マジ」であったのである。

北海道で戦後発生した主な自然災害

年	災害
1952年	十勝沖地震
1954年	低気圧急発達「メイストーム」
1954年	洞爺丸台風
1962年	十勝岳大噴火
1968年	十勝沖地震
1973年	根室半島沖地震
1977年	有珠山大噴火
1982年	浦河沖地震
1993年	釧路沖地震
1994年	北海道東方沖地震
2000年	有珠山噴火
2003年	十勝沖地震
2004年	平成16年台風15号・18号
2006年	北海道佐呂間町竜巻災害
	千島列島沖地震
2007年	千島列島東方沖の地震
2016年	北海道常呂川・湧別川水害
2018年	平成30年北海道胆振東部地震

※各種資料により作成

北海道メディアは特殊すぎる

『水曜どうでしょう』は特殊例ではない

北海道メディアの特殊性として、よく引き合いに出されるのは北海道テレビ制作のバラエティ『水曜どうでしょう』が有名だが、語る材料としては弱い。語るべきは、新聞や雑誌の多さである。

とにかく広い北海道には新聞も多い。全国のだいたいの地域において地元の新聞はひとつの県にひとつかふたつである。これは第二次世界大戦中に言論統制を目的に「一県一紙」の前提で統廃合が実施されたためである。北海道でも、それまでの新聞各社が統合され『北海道新聞』が誕生している。

同紙は今でも北海道を代表する新聞となっているが、公称発行部数は約97万部となり、すでに100万部を割り込んでいる。それでも地方紙の発行部数としては多いのだが、減っているのは事実である。その理由として挙げられるのはライバルの多さであろう。

なにしろ、市レベルの都市がある地域ではだいたい地元紙がある。稚内市なんて『日刊宗谷』と『稚内プレス』の2紙がある。『日刊留萌新聞』は多くの郷土出版で知られるところだし『函館新聞』は1997年創刊という新聞社としては意外な歴史の新しい新聞である。

地域の政治経済を扱う月刊誌も盛んで『北方ジャーナル』『月刊北海道経済』『財界さっぽろ』をはじめ『月刊新根室』『月刊道北』など、これまた数が多い。内地では最近は「ビジネス誌」にカテゴライズされる政治経済のスキャンダルを余すことなく報じる系の月刊誌は、ネットメディアに押されて影が薄くなっていると思う（会員制雑誌になっているものも多い）。対して北海道は、いまだ攻めの姿勢で毎号地域の役所や企業の問題を追及していく反権力のスタンスの月刊誌が有力である。これこそが、北海道メディアの魅力である。むしろ、これは内地のほうが見習うべきことか。

地元密着で強い北海道メディア

北海道で多数のメディアが乱立している理由。それは第一に広すぎることである。今でも生活圏や経済圏は分化している。たとえば網走で札幌に新店舗が開店する情報を得ても「ふーん、ちょっと出かけようか」とはならない。函館でも同様である。この地理的環境から生活圏が分離していることで、一時は統合で失われた多くの地域紙が戦後復活したというわけである。

たとえば、十勝地方では『十勝毎日新聞』が『北海道新聞』と並んで存在感を示している。内地では購読できないので東大の社会情報研究資料センターで見てきたのだが、驚くほどに地元のニュースを余すことなく伝えている。十勝地方の人口規模で考えると、知り合いがニュースに取り上げられている率がえらく高そうだ。実際、世帯普及率が5割近くで推移していることから、地元でなにか事業を始める際には、リリースを関係各所に流すよりも「勝毎」に記事にしてもらうほうが早いという域に達している。

同紙の地域密着ぶりは全国の地方紙の中でも群を抜いていて、おくやみの無料掲載はもちろんのこと、地元の草野球大会の結果まで報じてくれる。また社説を設けず、解説に留めていることで敵をつくらずに地元の信頼を得ることに成功しているようだ。結果、同社は新聞だけでなくケーブルテレビやエフエム局、さらにホテルなども経営し、従業員１８００人規模の有力企業にまでなっており、同社主催のイベントも多い。

同社の強さを示したのは「函館戦争」である。函館では１９５４年に『函館新聞』が廃刊になって以降、地元紙が存在していなかった。そこで函館の有力企業からの要請を受け「勝毎」は、新たな『函館新聞』の創刊を進める、これを察知した『北海道新聞』では十勝地方では後塵を拝しているということも相まって、先に『函館新聞』など想定されるタイトルの商標登録を取得し、広告料金もダンピングするという手に打って出た。これに対して特許庁は「公序良俗に反する」として商標登録を認めず、公正取引委員会も独禁法違反で排除勧告をしている。こうして１９９７年１月に『函館新聞』は創刊された。

『北海道新聞』とて一強にはなれない地元メディアの強さが光る北海道だが、さらに驚くのは街頭放送がいまだに存在していることである。街頭放送は街頭に設置したスピーカーで宣伝や役所のお知らせなどを流すメディアである。戦後間もなく東京の有楽町から始まったこのメディアは、高度経済成長期になると騒音問題もあり、ラジオ・テレビの充実から姿を消した。しかし、道内ではいまも12カ所で街頭放送が存続している。帯広市に本社をおく時事タイムス放送社は、元は戦後に新聞社からスタートしたものの続かず、街頭放送に転じて、現在も帯広・釧路・札幌で事業を行っている。料金を見たところ、秒数30秒で1日2200円。1カ月4万6000円。1年契約だと月額3万9270円。これで朝の8時30分から夕方6時30分まで1日10回放送。さらに原稿も音声制作もしてくれるんだから、オトクだ。

2020年は70歳でメジャーデビューした歌手・SASAKI社長の「最後のフォーリン・ラブ」が街頭放送でブレイクして話題になっている。これは最大手の旭川にアイケムがオファーしたものだが、いまだにメディアとしては強い。とにかく地元密着こそが柱となっている北海道のメディア。この本も、街頭放送で宣伝だな。

新社屋に移った北海道テレビ放送。独自番組は少ないが、件の「水どう」のようなヒット作を出し、全国的に有名になった

長らく大通公園の景色となっていたNHKも移転が決定。北1西９への移転なので、今までとは「真反対」な位置関係となる

北海道コラム 4

がっかりしない観光地はどこだ？

とにかく広い北海道。おまけに観光地は各地に点在している。札幌の時計台とクラーク像を見て、小樽で遊んで、函館の夜景。それに旭山動物園にも行きたいな……なんて考えてもできない。おまけに、実際にまわると意外に多いのが、がっかりスポット。いや、ほぼがっかりスポットなんじゃなかろうか。

札幌の時計台は、まだ覚悟を決めていたからネタになったが、小樽は石原裕次郎が好きならともかく運河は狭い。旭山動物園は、確かに展示の工夫をした動物園だけど、特にここでなければ観られない珍しい動物がいるわけではない。ペンギンだったら上野動物園にもいるし……。

これまで世界の観光地も訪ねてみたが北海道の観光地には、人の群をかきわけてコインを投げるところを写真で撮影する以外、特にすばらしさも感じないローマのトレビの泉的ながっかり感がある。

では、いったいどういうところに出かければ感動があるのだろうか。

やはり、ほかの人があまり行ったことのないところ。行っただけで自慢できるところに尽きると思う。そう考えた時、まず思い浮かぶのは樺太である。いや、サハリンか、今は。サハリンへは１９９８年から稚内～コルサコフ航路が開設されていたものの、今は運航休止中である。２０１８年は一旦運航休止が決まるも急きょ復活。その後２０１９年からは休止が続いている状態である。なかなか「樺太に行ったんですよ」という人の話は聞かないので、復活した際には万難を排して乗船してみたいものである。

さらにレアなのは知床半島だろう。観光バ

スが立ち寄るようなところには、誰でも出かけられるが、最強ルートは知床半島の連山を縦走して知床岬に向かうルートである。当然、ヒグマが出没する危険地帯、かつ羅臼岳の登山者はそこそこいるものの、すべてを縦走した人の記録はあまりない。ネットは山行記録を公開している人が多いが途中で断念している人も多数。当たり前だ。整備された登山道はないので自分でルートを探しながら進まなくてはいけない。夏山でも相当の経験者でなければ無理である。と、思ったら積雪期に単独縦走している人が。登山専門誌の『岳人』で記事になっていたくらいなので、完全に冒険である。

知床は無理でも、冒険を味わいたいならシュンクシタカラ湖である。釧路市阿寒町にある湖で、いつのころからか「日本で最後に発見された湖」という噂が広まり訪問する人がいる。到達するにはガードレールもない林道を20キロあまり。車で到達は可能だが、周囲は携帯電話も通じずヒグマもいる。とんでもない場所にある湖なのだが、もの好きはいるもので、ゴムボートまで持ち込んで釣りを楽しむ人もいるという。

こんな観光地ならば、きっとがっかりすることはないはずだ。

第５章
今の北海道は自らの
ポテンシャルを活かせていない！

歴史と伝統に裏打ちされた北海道気質の明と暗

道民は意識しなくても影響力はある負の歴史

北海道は、明治以降「ニッポンの新天地」としてその歴史を刻んできた。しかしその歴史は古く中世にまで遡り、奥州藤原氏や津軽安東（安藤）氏のように、本州での戦いに敗れた勢力の退避先としての機能も担ってきた。

また、本州との交易関係も綿々と続いていた。縄文の昔、いや、それ以前から、北海道は本州、果ては大陸とも物々交換に始まる貿易を行っており、中世以降はその関係がどんどんと深まっていった。

無論、「北海道側」で貿易を行っていたのは、後のアイヌ、もしくはアイヌと関係の深い人々だった。最初はよかった。米などの農作物が育ちづらい北海道と、北海道に豊富な獣皮や魚介類、また、北海道経由の大陸との貿易は、アイヌ、本州の日本人双方に大きなメリットをもたらしたのだ。

だが、「カネ」が絡むと人間は強欲になる。古来より抗争を繰り返し、戦争の技術では世界レベルにあった（時期もある）日本人は、経済システムの進化とともに、「弱い」北海道との交易関係を、対等から「下」に扱うようになっていく。これが、日本人には誇らしい歴史である「天下統一」を期に、一気に進んでいった北海道の歴史は、アイヌの立場からすると、なんとも形容のしがたい事実といえるだろう。

こうして、江戸、明治になって、北海道支配はそれ以前よりもさらに進んでいった。果ては、明治政府による「同化」政策により、本来北海道の主であったアイヌは、事実上「２級市民」として日本に組み込まれ、その富と文化、アイデンティティを奪われた。

今日の北海道は、そうした日本による侵略の上に成り立っている。この事実は、もはや多くの人に意識されていない。しかし、北海道社会が負の側面を見せるとき、たとえば経済的な困難や凶悪事件などが起きると、こうした侵略の歴史の深い部分での影響を感じることがある。一度は収まったかにみえたアイヌ差別も、日本社会の混乱とともによみがえってきたわけだし。

入植者にも暗いルーツが

北海道の負の側面は、アイヌの扱いだけではない。現在大多数を占める日本人も、元はといえば「仕方なく北海道にやってきた人」が多いのだ。

道南に日本人の定住環境を作った津軽安東氏やその配下から後継者となった蠣崎（松前）氏などは、そもそも戦に敗れたり、後継者争いに脱落して北海道にやってきた人々だ（これは伝説に過ぎないとの見方もあるが）。そして、明治以降の北海道は日本に組み込まれた際、大量にやってきたのは、戊辰戦争で敗北した旧幕府側、奥羽列藩同盟などの「敗者」である。これに加え、社会の変化に対応できず、食い詰めてやってきた人々が、「オリジナルの道民」の中心だった。

この北海道が最後の逃亡先であったのはつい最近までの話で、戦後も炭鉱が

北海道の富はその大地から得られたもの。それには先住民アイヌから奪い取ったものが多く含まれていることを、忘れている人は多い

初期の入植者や屯田兵は、江戸時代や明治への変革期に時代の波に翻弄され、新天地を目指して北海道へ渡った人々がほとんどだ

まだ生きていたころは、「北海道でなら稼げる」と故郷を離れてやってきた人々がいた。北海道には、アイヌも、日本人にも、つらいルーツが横たわっている。

お気楽で開放的な北海道気質

だが、真剣にアイヌのアイデンティティ回復を望んでいる人は別かもしれないが、現在の道民は、基本的におおらかで楽天的な人々だ。そのルーツは厳しい現実の中で生まれたものなのに、なぜこうなったのか。

ひとつには、つらい境遇から「なんとかなった」人々が、今の道民の祖先であったからということがいえる。つらい思いをしても頑張ったら普通に暮らせるようになったことが、ひとつの成功体験となり、「あんなに厳しいところからでも大丈夫」という考えが、今に伝わっているのだ。

こうした気質は、本来の「つらい北海道移民」とは全く関係のない、ここ数十年北海道にやってきた「新道民」にも伝播し、今の北海道気質につながっている。とはいえ、その成功体験にも、からくりがある。

現在でも、北海道沖縄開発庁の後継官庁があるように、北海道は明治以降（正確には江戸期から）、中央政府の強力な支援の元に開発されてきた。当たり前だ。江戸幕府や日本政府にとって北海道は文字通り新天地であり、同時に、何かと敵対することの多かったロシア／ソ連との最前線。カネをジャブジャブつぎ込んで開発する十分な意味があった。

この姿勢は今も続いている。要するに、北海道では「とりあえず国がなんとかしてくれる」という事実がもう２００年近くあり、道民の努力云々以前に、「別に頑張らなくてもやっていける」ドーピングがあったのである。これは事実だ。

もはや怠け者というべきなのか

しかし、もはや北海道は新天地でもドーピングまみれの地域ではない。無論、農業にしても漁業にしてもいまだ盛んだし、生活環境の良さや土地の安さはIT企業（の祖先の時代から）を育てもした。決して不毛の大地ではない。

だが、道民の気質は、以前よりも「優遇されなくなった」「黙っていてもお金になる鰊が捕れる」土地でもなくなった北海道では、少々お気楽すぎるものになってしまっている。そのあらわれが、生活保護率の高さであったり、貧富の格差の拡大であったりといった問題につながっている。

もちろん、今でこそ生きる北海道気質もある。男女同権意識の薄い日本にあって、女性が強いというのは北海道のまぎれもない美点だ。お気楽気質も、様々なチャレンジ精神を生むという意味では大いに活用できる。

問題はそのバランスだ。何事にも明暗はある。どちらか一方に偏りすぎるといけない。その意味で、今の北海道を覆っているのはドーピングが切れているのに、練習しないスポーツ選手的な雰囲気である、といえるのではないだろうか。

だが、こうした体質がはびこってもう100年以上。一度成立した気質はそう簡単に変わることはない。北海道は、このまま楽観視したまま沈んでいってしまうのだろうか。それは、北海道と道民だけではなく、日本全体にとっても歓迎できない事態なのだが。

取材を行ったのは2021年の5月から6月。コロナ禍の緊急事態宣言化であったがすすきのではマスクをつけていない若者が目立った

政府の支援で「儲かっちゃった」道民の祖先たち。豊かな生活が当たり前という感覚は、今も水面下で道民の意識に根を下ろしている

北海道のポテンシャルを活かすには道内の〝体質改善〟が必要だ！

北海道はすごいのだ！

さて、北海道気質が今の時代「デメリット」の方に傾いているのではないか、という現実をこれまで見てきたわけだが、ではこれからどうすればいいのか。

まず、道民は北海道のポテンシャルを、もう一度見直すべきだ。といっても、当の道民からすれば「そんなこと誰よりもわかっている」というところだろう。道民は、ともかく北海道の良さを誇る人々だ。魚がうまい、肉がうまい、牛乳やチーズは日本では北海道が始まりだ。米だって最近じゃあかなりのものだ。北海道発の名産も数多く生まれた。日本全国誰もが知っている銘菓はあるし、スープカレーもそろそろ全国規模になりつつある。札幌ラーメンはインスタントラーメンでも大メジャーではないか。

もちろんその通り。北海道はすごいのだ。でも、それだけの力があって、今の北海道は、正確には札幌以外がことごとく沈下傾向にあるのはなぜなのか。

結局のところ、これは道民が「北海道のポテンシャルにおんぶに抱っこ」体質から脱し切れていないということなのだろう。北海道の産物で儲けているのは、なにも道民や北海道企業だけではない。むしろ、いまだに北海道は本州に搾取されている状態にある。

これに拍車を掛けているのが、冷蔵・冷凍技術と物流システムの進化だ。ほんの少し前、いくら全国各地のデパートで「北海道展」が大安パイの催し物であったとしても、「本物の北海道味」は北海道に行かなければ食べられなかった。それが今や、小樽の有名寿司店の東京支店では、小樽の店と同等の「小樽産」魚介類を食べられる。輸出して買いたたかれたものでも、十分な品質を確保できるようになってしまった。そういう時代なのだ。

これにより、まず北海道内の貧富の格差が広がっている。要するに、本州や世界相手に輸出する業者はいいとして、それらを支える周辺の一般道民には利益が下りてこず、一部の人々だけが栄える。これは北海道に限ったことではなく、日本全国、いや全世界でこれまで以上に進んでいるわけだが、少なくとも日本国内において、北海道はもっともその影響を受けやすい地域である。

北海道の弱点を見つめ直す

この現実を考えるためには、もう一度北海道の「弱点」を見つめ直す必要があるだろう。北海道は、現在の姿に至るにあたり、近代的な「効率の良い」開発がされてきた。鰊が売れるのならば捕りまくり、石炭が必要なら掘りまくった。いわゆる「モノカルチャー」といわれる一点集中型の産業が今に至っても主力である。

だが、鰊にしても石炭にしても、今や見る影もない。江戸時代から田畑の有機肥料として売れまくった鰊は、化学肥料の普及やに漁獲量の減少によって産業としては崩壊。今では普通においしい魚の一種にすぎない。石炭に至っては、地球温暖化の第1級戦犯としてやり玉に挙がっている上に、もうかなりの部分

栄えていた街が一気に衰えるのが北海道の特徴となってしまっている。道内の名門である小樽ですら、新幹線に一縷の望みを託す有様

写真は夕張炭鉱博物館。北海道の躍進を文字通り支えた石炭業こそが、現在の北海道の苦境を生み出しているのはなんとも皮肉である

を掘り尽くしてしまった。

こうした産業構造の弱点に対し、北海道の各地は事実上「まったく抵抗しなかった」といえる。日本にとって大事な北海道であるから、傾けば国ががんがんとお金を投入した。しかし、それを使って「じゃあ産業転換だ」とならなかったのが北海道。いや、頑張った人々も多いのだが、そこは全体の「空気」というか「まあなんとかなるでしょう」という雰囲気におされ、青筋を立てて頑張った人々も、徐々にやる気を失い、終いには北海道を出てしまった。そうした実例は確かに存在する。

そう、これこそが北海道の弱点である。これまで何度も強調してきたが、なかなか解ってくれないのでもう一度お話しする。道民の弱点は「ハイポテンシャルに寄りかかっているだけでなにもしない」ことなのだ。

その最たる例が、北海道が「役人天国」であるということだ。いや、確かに役人が偉かった時代はある。人類、日本の歴史上、役人は貴族や武士であり、身分体制の上部にいた。だが、今は民主主義の時代である。役人は「全体の奉仕者」という大前提があるのだ。

しかし、国からのドーピングが間断なく注射されてきた北海道にそれは通用しない。他の地域なら役人は民間企業に振り回されることも多いのだが、もっとも大きな財布が「日本国」であり、その財布のひもを握っているのが道庁や各市町村。それが北海道である。カネの出所の態度が大きいのは人類に共通しているわけで、北海道が役人天国になるのも当然である。

だが、役人は、これも人類史上ずっと変わらず、厳しく監視されていないと能力を発揮できないばかりか、不正を繰り返すようになる。北海道凋落の象徴となった「世界・食の祭典」の例をみるまでもなく、いまだに二本差しの「お役人様」であるのが北海道の役人。産業が傾いても「じゃあもらえる補助金はきっちり使い切りましょう」という態度に出て、結局産業転換の努力などしない。

こうした役人天国っぷりは、北海道日本ハムファイターズの球場移転問題をみるに、ちっとも変化していない。あの話はもはやギャグとしかいいようがない。値下げ交渉にいったら値上げされました、なんだから。だが、日ハムは大阪商人。これまでとはひと味違ったのだろうか。しかしこの問題は、これからの北海道を明るくする可能性がある。

まず注目したいのは、札幌一極集中の「ちょっとした打破」の実例になったことだ。実際は、北広島市だって「札幌の一部」みたいなものなので、あまり違いはないともいえるが、ちゃんと官と民が戦ってひとつの結果が出たわけで、これは今までとは違う。

もうひとつは、北海道内に「競争」が生まれたことだ。北海道は、これまでそれぞれの地域が別個に本州や世界と付き合っており、「横のつながり」が薄かった。これは距離的な問題もあって仕方のないことなのだが、今回の日ハム移転問題で、新たな事実が歴史に残った。

地域とは、近い場所同士の競争があると成長する。逆をいえば、これまではそれがなかったから北海道の成長は、ポテンシャルを使い切ったものになっていなかったといえるのかもしれない。

地域間だけではなく、これからはもっと「競争」が必要だ。現在の北海道の象徴であるファイターズから、お役人支配と競争のなさを打破する実例が生まれたのだ。この現状打破によって今後、道民のお気楽気質にも、良い方向の変化があらわれる。つまり道民の「体質改善」が期待できるのではないだろうか。

北海道ボールパークは北海道の旧弊を打ち破る新しい象徴となるか。
ファイターズの復活とともに、大いに期待がもてる動きといえよう

あとがき

当シリーズでは、各都道府県における県民性は必ずテーマのひとつとなる。なぜなら、地域内各地を巡って、地元民と交流すると一般に流布されている県民性やイメージと異なるケースが少なくないからだ。イメージとの違いが生じる理由は、主に都市の成り立ちや歴史の差が大きい。たとえば、お隣の青森県では弘前を中心とする津軽地方と八戸を抱える南部地方は、もともと統治していた藩が違うため、その気質がまったく異なっている。本来、こうした「県民性の地域差」が北海道にもあるはずなのだが、これまでは不思議と語られてこなかった。その大きな理由は、開拓地ゆえに気質のバックボーンとなる歴史が希薄な点と、あまりに土地が広すぎる点である。どこもかしこもフロンティアスピリットで括られてしまい、県民性の研究者でさえ「北海道はだいたい同じ人」として見向きもしなかった。だが、明治新政府の誕生からすでに150年。それ以前の歴史はいかに希薄といえども、近現代を生き抜いた歴史は各地にあるはずで、そこから生じる気質の違いがあってもおかしくはない。

というわけで、本書ではヴェールに包まれた北海道における「県（道？）民性の地域性」というおそらく本邦初の試みに挑んでみた。いかんせん研究者さえ投げ出す壮大なテーマだから、先行研究がほとんどない。しかも、当の道民さえほとんど意識したこともないんだから、難航するのは当然だ。

ただ、道内各地を巡ってみて強く感じたのは、全道民の共通項でもある「おおらかさ」のあらわれ方の違いである。各地域で、プラス面でもマイナス面でもそれが発揮されているように思う。たとえば札幌では「ヨソ者に対して優しい」が「我慢弱い」一面がある。逆に道東の帯広では「ヨソ者に無愛想」だが、「厳しい自然条件も受け入れて初志貫徹」という特徴がある。いずれもベースとなっているのは道民特有の「おおらかさ」である。

その「おおらかさ」を育んだのは、やはり北海道のスケール感だ。「でっかい道」は土地だけでなく、道民の心の広さもあらわしている。取材を通じて、筆者はそう痛感した次第である。最後に取材に快く応じていただいた道民の皆さんに感謝して、筆を置きたい。ありがとう、北海道！

鈴木ユータ

参考文献

【書籍・資料など】
※道、市町村統計書など基本資料はリストから省略する
・海保嶺夫
『エゾの歴史　北の人びとと「日本」』　講談社　1996年
・札幌市教育委員会編
『札幌人の気質』　北海道新聞社　2001年
・井上美香
『北海道の逆襲　眠れる〝未来のお宝〟を発掘する方法』
　彩流社　2011年
・札幌商科大学人文学部編
『北海道民衆の歩み』　札幌商科大学学会　1982年
・高倉新一朗監修
『北海道の研究1～8』　清文堂出版　1985年
・祖父江孝男
『県民性　文化人類学的考察』　中央公論社　1971年
『県民性の人間学』　筑摩書房　2012年
・木原誠太郎＋ディグラム・ラボ県民性研究会
『47都道府県ランキング発表！　ケンミンまるごと大調査』
文藝春秋　2013年
・朝日新聞社編『新・人国記3』　朝日新聞社　1963年
・太田竜『辺境最深部に向って退却せよ！』　三一書房
1971年
・毎日新聞社編『北の人脈　三代の系譜・集団の系譜』
　毎日新聞社編　1972年
・北海道新聞社編
『人脈北海道　市町村長編』北海道新聞社　1973年
・北海道新聞社編
『人脈北海道　金融界編』北海道新聞社　1973年
・木野工『ドキュメント苫小牧港』　講談社　1973年
・太田竜『革命・情報・認識　よみかきのしかた』
　現代書館　1974年
・太田竜『アイヌモシリから出撃せよ！』　三一書房
　1977年
・新谷一『アイヌ民族抵抗史　アイヌ共和国への胎動』　三一書房　1977年
・海保嶺夫『近世の北海道』　教育社歴史新書　1979年
・北海道拓殖銀行調査部編『北海道　80年代の可能性』
　北海道新聞社　1980年
・北海道新聞社編『北海道を考えなおす』第3集
　北海道新聞社　1980年
・留萌文化史作成委員会編『留萌文化史』
　留萌市文化団体協議会　1985年
・留萌新聞社編『語り継がれる郷土　留萌地方'85』
　留萌新聞社　1985年
・高橋明雄『るもい地方の歴史探訪―近現代にひろう35話―』
　留萌地方史談話会　1991年
・山中燁子『北海道が日本を変える』　北海道新聞社
　1996年

・高橋明雄『るもい地方の歴史をたずねて　軌跡その光と影』
私家版　１９９９年
・違星北斗『違星北斗歌集　アイヌと云ふ新しくよい概念を』
角川ソフィア文庫　２０２１年

【ウェブサイト】

・北海道のホームページ
https://www.pref.hokkaido.lg.jp/
※各市町村の公式サイトはリストから省略する

・内閣府
https://www.cao.go.jp/
・総務省
https://www.soumu.go.jp/
・国土交通省
https://www.mlit.go.jp/
・厚生労働省
https://www.mhlw.go.jp/index.html
・北海道観光公式サイト　ＧｏｏｄＤａｙ北海道
https://www.visit-hokkaido.jp/
・ＪＲ北海道
https://www.jrhokkaido.co.jp/
・札幌市交通局
https://www.city.sapporo.jp/st/
・函館市企業局交通部
https://www.city.hakodate.hokkaido.jp/bunya/hakodateshiden/
・道南いさりび鉄道
https://www.shr-isaribi.jp/
・札幌市交通事業振興公社
https://www.stsp.or.jp/

※北海道の地方紙・地域誌・テレビ、ラジオ局は多数存在するためリストからは省略する。それらの多くを参照した

・共同通信社
https://www.47news.jp/news
・時事通信社
https://www.jiji.com/
・朝日新聞
https://www.asahi.com/
・読売新聞
https://www.yomiuri.co.jp/
・毎日新聞
https://mainichi.jp/
・産経新聞
https://www.sankei.com/
・日本経済新聞
https://www.nikkei.com/

●編者

昼間たかし

1975年岡山県生まれ。ルポライター、著作家。岡山県立金川高等学校・立正大学文学部史学科卒業。東京大学大学院情報学環教育部修了。知られざる文化や市井の人々の姿を描くため各地を旅しながら取材を続けている。近著に『これでいいのか熊本県』（マイクロマガジン社）。そのほか単著に『1985-1991 東京バブルの正体』（マイクロマガジン社）『コミックばかり読まないで』（イースト・プレス）などがある。

鈴木ユータ

1982年千葉県生まれ。全国各地を駆け巡る実地取材系フリーライター。祖父母が積丹出身ということで北海道は自身のルーツでもある。取材では、主に道央から道東までを担当し、大自然の中を駆け巡った。そのため、基本的な時間配分は移動6割、取材4割。幸いなことにシカをひくことはなかったが、道中は睡魔と尿意に苛まれることに……。いやあ「試される大地」とはよく言ったもんだ。

地域批評シリーズ㊸　これでいいのか 北海道 道民探究編

2021年8月13日　第1版　第1刷発行

編　者　昼間たかし
　　　　鈴木ユータ
発行人　子安喜美子
発行所　株式会社マイクロマガジン社
〒104-0041　東京都中央区新富1-3-7 ヨドコウビル
TEL 03-3206-1641　FAX 03-3551-1208（販売営業部）
TEL 03-3551-9564　FAX 03-3551-0353（編　集　部）
https://micromagazine.co.jp
編　集　岡野信彦／清水龍一／太田和夫
装　丁　板東典子
イラスト　田川秀樹
協　力　株式会社エヌスリーオー／髙田泰治
印　刷　図書印刷株式会社

※本書の内容は2021年6月30日現在の状況で制作したものです。
※本書の取材は新型コロナウイルス感染症の感染防止に十分配慮して行っております。

2021 Printed in Japan　ISBN　978-4-86716-167-8　C0195